KB171747

우린 이미 배우입니다.

우린 이미 배우입니다.

발 행 | 2024년 1월 2일
저 자 | 박미새
펴낸이 | 한건희
펴낸곳 | 주식회사 부크크
출판사등록 | 2014.07.15(제 2014-16 호)
주 소 | 서울특별시 금천구 가산디지털 1 로 119 SK 트윈타워 A 동 305 호
전 화 | 1670-8316
이메일 | info@bookk.co.kr

ISBN | 979-11-410-6340-5

www.bookk.co.kr

우린 이미 배우입니다.

박미새 지음

• 당신은

연기를 무엇이라 생각하는가?

내 책을 계속 읽어 내려갈 것이라면 여기서 한 번쯤 이 질문에 대해 고민해 보기를 바란다. 어려운가?

그렇다면 당신에게 '삶'이란 무엇인가?

이 고민마저 번거롭게 느껴진다면 당장 힘차게 이 책을 덮길 바란다. 그대에게는 이 책이 필요 없기 때문이다.

• 이 책은

배우 박미새가 연기를 처음 시작하고 현재에 이르러 가치관을 존립하기 이전까지의 과정과, 그 속에서 얻어낸 가치관과 고민들을 적어냈던 연기 노트를 책으로 엮은 것이다.

이 책을 적고 굳이 수고스럽게 출판까지 한 이유는 필자 스스로 지금껏 달려온 연기 인생을 되짚어 보고 성찰하려는 의도도 있지만

필자는 지금 하나의 '벽'을 느끼고 있는 시기이다. 이 '벽'이 필자를 다음 단계로, 더 나은 나로 성장하도록 인도하는 매개인 것을 알고 있지만 필자 혼자로는 넘기 힘들 것 같기에 전공자이든 비전공자이든 여러분들과 함께 연기관을 나누고 삶을 나누고 견문을 넓혀 좀 더 새로운 시각으로 연기를 바라보고 싶은 마음이 크기 때문이다.

발자취

작가의 말

제 0 장 우린 이미 배우입니다.

제 **1** 장 열일곱부터 스무살의 미새

1) 진실과 믿음

2) 박미새 연기관 3 요소

3) 나로서

4) 자연스러운 충동(감정, 화술, 움직임)

5) 목적(초급)

6) 분석

7) 리액션

8) 호흡

9) 실제인물

*나에게 하는 말

제 **2** 장 스물한살부터 스물두살의 미새

1) Showing

2) 목적(고급)과 무의식

3) 타인: 또 다른 나

제 **3** 장 현재의 미세

1) '그냥'

- 삶을 알면 연기가 보인다.

제 **4** 장 나의 무기

1) 모놀로그와 오디션

2) 올바른 연습법

제 **5** 장 독백 일기

1.국가대표-하정우

2. 용서는 없다-류승범

3. 너는 내 운명- 황정민

4. 여자, 정혜- 박성웅

5. 광식이 동생 광태- 봉태규

6. 연애의 목적- 박해일

7. 비스티 보이즈 - 하정우

8. 우리들의 행복한 시간- 강동원

9. 봄날은 간다- 유지태

10. 와일드카드- 양동근

11. 재심 - 정우

제 0 장 다시 새로운 시작입니다.

작가의 말 .

이 책을 읽는 독자는 대부분 연기를 시작하려는 입문자이거나 연기를 사랑하는 자, 혹은 필자의 연기에 호기심이 생겨 책을 받은 자일 것이다.

필자도 연기를 사랑하는 사람 중 한 명으로서 나의 연기론을 이 책에 담아보려고 한다.

본격적인 나의 연기관을 보여 주기에 앞서 필자가 바라는 독자분들의 마음가짐 및 자세를 알려 주려 한다. 독자분들도 아시다시피 국어, 수학, 사회, 과학, 영어 그리고 심지어 예체능 계열의 음악, 체육, 미술 '교과서'를 보고 배워왔을 것이다.

하지만 연기 교과서를 본 적이 있는가? 없을 것이다.

Why? 사람마다 정답이 다르기 때문이다.

그럼 다시 의문이 들 것이다. 왜 정답이 다 다를까?

연기는(=)삶이고 때문에 사람마다 자신이 써 내려온 각자의 삶이 다 다르고, 우리 배우는 자신의 삶, 자신만의 드라마로 연기하기에 정답이 다르고 따라서 교과서적인 답이 없는 것이다.

그럼에도 불구하고 '교과서'적인 서적이 있다.

(스타니슬라브스키 연기전기, 미카엘 체홉의 테크닉 연기 등)

이 필자가 강조하고자 하는 것은 '취할 것만 취할 것'이다. 앞서 말했듯 이러한 서적은 그들의 삶에서 나온 정답이지 여러분의 것이 아니기에 얻을 것은 얻고 버릴 건 버리면서 본인의 연기관을 스스로 만들고 쌓아 가다 보면 훌륭한 배우의 기반을 세울 수 있을 것이다. 여러분의 연기의 길을 응원하며 기나긴 서론을 마치겠다.

제 0 장

: 우린 이미 배우입니다.

"우린 이미 배우입니다." 이게 무슨 소리야? 싶을 것이다. 나는 배우도 아니고 하물며 연기를 배운 적도 없는데. 하지만 필자는 단지 여러분이 인지하지 못했을 뿐이지 한 명 한 명이 훌륭한 배우라고 생각한다.

우리는 각자의 인생을 스스로 '주인공'으로서 살아가고 있다. 이 삶의 일부를 카메라에 담으면 그것이 드라마, 영화가 되는 것이고 무대로 올리면 연극이 되는 것이다. 요소의 특수성만 차이가 있을 뿐 여러분이 알고 있는 연기와 여러분이 살아온 삶은 크게 다르지 않다. 삶과 연기는 서로 밀접한 관계에서 상호작용을 하고 있다. 그런 의미에서는 여러분도 이미 '배우'다. **즉, 누구나 배우가 될 수 있다.** 연기를 너무 어렵게 생각하지 않았으면 한다.

여기에서 더 나아가 배우는 나의 삶 이외에 다른 이의 삶도 살아가는 직업이다. 정말 매력적이지 않은가. 이런 부분에 매료되어 수많은 사람들이 배우의 꿈을 가지고 도전하고 끊임없이 달려나가고 있다. 그러나 단지 연기자, 연예과, 배우의 타이틀로 자신을 포장하기 위해 연기를 하는 흔히 말해 '배우 호소인'들이 있다. 그리고 연기에 이제 막 입문하려는 이들에게 연기를 논하기 이전에 들려주고 싶은 말이 있다.

현재 본인의 삶은 어떻게 살고 있는가?

타인의 삶을 살아가야 하는 배우가 본인의 삶조차도 컨트롤하지 못하고 가볍게 시간을 태우며 살아가고 있지는 않은지, 본인이 자신의 삶을 어떻게 대하고 있는지부터 스스로를 속이지 말고 점검해야 한다. 당장 본인의 삶부터 성실하게 열심히 살아가고 있지 않은데 그 상태로 타인의 삶을 연기한다는 것은 필자의 입장에서는 굉장히 모순적인 이야기이기 때문이다.

필자가 생각하는 배우는 카메라 앞, 무대에서만 존재하는 것이 아니다. 본인의 삶을 어떻게 받아들이는지의 태도, 거기에서부터 배우의 존재가 출발한다. 그것이 곧 연기의 시작이기에 자신이 지금껏 나태하게 살아오지는 않았는지, 현재에 만족하며 안주하고 있는 것은 아닌지 항상 스스로를 경계하며 성찰해 나가야 한다. 그렇기에 '나'부터 고쳐나가는 것이 배우의 제 1 과제 라고 생각한다.

제 1 장

: 열일곱부터 스무 살의 미새

너의 삶이 곧 너만의 연기이고 네가 걸어가야 할 길,
그것이 정답이다.

이 시절의 필자는 의도치 않게 영리했다.

어린 시절부터 '나'라는 사람은 무언가 선보이는 것을 좋아했다. 남들과는 다른 생각, 남들과는 다른 모습. 그걸 보고 좋아하는 사람들의 반응을 보고 내심 뿌듯해하며 더 많은 사람에게 인정받기 위해, 웃음을 주기 위해, 마치 짐 캐리가 된 것처럼 집에서 거울을 보며 표정도 지어 보고 여러 목소리를 내어 보며 나도 모르게 배우에게 도움이 되는 표현의 스펙트럼을 넓혀 갔다.

그러다 2019 年 7 月 23 日 처음으로 연기 학원에 등록해 제대로 된 연기를 시작했다.

그렇게 등록을 하고 한 달, 두 달……. 나는 이상함을 감지했다. 분명 동료 배우들, 우리는 서로 각기 다른 매력과 생김새, 성격 등을 지녔는데 연기만 하면 항상 저 연기가 그 연기 같고, 그 연기가 저 연기 같고……. 서로의 연기가 비슷하다는 느낌을 많이 받았다. '거기서 거기'라는 느낌. 나 역시 다른 동료 배우들과 다르지 않았다. 나 또한'거기'에 속해 있었다.

그들과 다른 점이라면 다른 동료들과 비슷해 보이는 게 싫어서 이것저것 새로운 시도를 하며 다르게 보이려고 노력했다는 것이다. 그러나 남들과 다르게 하려는 강박은 오히려 역효과만 불러올 뿐이었다. 그러나 필자는 당장 혹평을 듣더라도 내가 원한 정답을 찾으려고 했다. 집에 가는 길에 계속 고민도 해보고 선생님께 여쭙기도 해보고 몇 날 몇 달을 풀리지 않는 답답함을 품은 채 오직 '거기'에서 벗어나기 위해 계속 문을 두드려보고 도전적인 시도를 했다.

어느 날, 정말 평범한 하루였다.

그날이 곧 특별한 하루로 바뀌는 데는 그리 오래 걸리지 않았다. 왜냐하면 학교에서 친구랑 크게 다투었기 때문이다. 나중에는 내가 먼저 사과를 하고 화해를 하며 일이 일단락 되는 듯 했다. 하지만 나는 속으로 이게 이렇게 화낼 일인가, 하며 엄마한테 학교에서 있었던 일을 털어놓았다. 엄마의 대답은 "사람마다 성향이 다르니 그 친구는 화가 났었을 수도 있지." 였다.

충격이었다. 어찌 보면 당연한 이야기였던 것이 나에게 충격으로 다가온 이유는 몇 날 며칠을 싸매던 고민을 한순간에 해결해 주었기 때문이다. 엄마의 대답은 곧 나의 연기에 대한 해답으로 이어졌다. 때마침 '너의 말로 연기해'라는 연기 선생님의 피드백이 머릿속에 울렸다. 이때 깨달은 것이 바로 사람은 어차피 다 다르다는 것, 그렇기에 남들과 다르게 연기하려고 인위적으로 연기를 할 필요가 없이 그저 '나로서' 연기를 하면 자연스레 남들과 다른 연기가 된다는 것, 이것을 발전시키면 '거기'에서 벗어날 수 있다는 것이다. 그런 확신과 함께 연기에 대해 진지한 흥미가 돋아나기 시작했다. 이것이 본격적인 나의 연기의 일대가 시작되는 순간이었다. 이후 나는 보고 듣고 읽고 배우며 연기를 착실히 해 나아갔고 이때 얻은 것들을 하나씩 이야기 드리려고 한다.

1) 진실과 믿음

대개 사람들은 ‘연기’라고 하면 ‘거짓’을 생각한다…….

예로, 거짓말을 성공하게 하면 “너 연기 잘한다.”고 말한다. 하지만 이 예시는 반은 맞고 반은 틀린 말이다. 자세한 것은 뒤에서 다루겠다. 본론으로 돌아가서, 필자는 연기는 거짓이 아닌 100% 진실이라고 생각한다. 여기서 필자가 말하는 진실은 ‘믿음을 전제로 한 진실’을 말하는 것이다.

이것을 구체적인 예시로 만들어보겠다.

ex) 나는 배가 고파 옆자리 친구의 빵을 허락 없이 먹었다. 친구에게 이 사실을 말하려 했으나, 빵이 없어서 격양된 친구의 모습에 나는 빵을 먹지 않았다고 말했다. 옆에 있던 다른 친구는 이런 나의 모습을 보고 “너 연기 진짜 잘한다.”라고 했다. (중의적 표현 무시)

위의 예시를 살펴보자. 과연 나는 정말 연기를 잘한 것일까? 앞서 말했듯이 반은 맞고 반은 틀리다.

내가 친구에게 “먹지 않았다.”라고 했을 때 나 스스로 먹지 않았다고, 절대 빵을 먹지 않았다는 ‘믿음’을 가지고 이야기를 한 것이라면 연기를 잘한 것이고 그저 상황을 모면하기 위해 둘러댄 것이라면 그냥 거짓말을 한 것일 뿐이다. 둘은 엄연히 다른 것이다.

어떤가? 다소 극단적인 예시였지만 필자가 말하는 '믿음을 전제로 한 진실'이 감이 좀 잡히는가?

배우는 자신에게 주어진 모든 것을 오롯이 믿고, 그것이 '정의'라고 생각하고 연기 할 때에 배우로서 좋은 에너지가 나온다. 가상의 세계를 관객에게 '설득'할 힘이 여기서 생기는 것이다.

이것이 내가 생각하는 모든 연기의 0 순위다.

2) 박미새 연기론 3 요소

책의 도입부에, 독자 여러분에게 연기를 무엇이라 생각하는가에 대한 물음을 하나 던졌다.

본인의 답이 나왔는가? 필자인 나는 보이는 이들에게 상황을 설득하고 공감을 시키는 것(=소통)이라고 생각한다. 내가 생각하는 연기를 이루기 위해서는 궁극적으로 '진실한' 연기를 해야 한다. 그렇다면 진실한 연기, 앞서 설명한 믿음을 전제로 한 진실의 연기를 하기 위해서는 어떻게 해야 할까?

나는 이러한 고민 끝에 '박미새 연기론 3 요소'를 만들었다. 바로 '상상, 집중, 감각'. 어려울 건 없다.

문장으로 표현하자면 상상으로 상황을 구축하고, 그 상황에 집중(몰입)하고, 감각을 열어 자연스러운 충동을 느끼는 것이다. 이렇게 3 요소가 맞물리는 과정을 거쳐 진실함이 나온다. 지금부터 차례대로 각각의 요소에 관해 설명을 해보겠다.

'상상'. 연기를 하는데 왜 상상이 필요할까?

이유는 연기할 때에 진실한 연기를 할 수 있도록 유리한 자극과 조건을 만들어주기 때문이다.

함께 상상해 보자. 당신은 세상에서 가장 무더운 사막을 맨몸으로 횡단하고 있다. 레디, 액션!

이런 조건 속에서 어떻게 연기를 할 것인가? 물론 헉헉대며 땀만 닦아도 무방하다. 하지만 상상을 첨가해, 여기가 무더운 사막이 아닌 사방이 뜨거운 용암으로 덮인 지옥이라 생각하고 다시 해보자. 레디, 액션!

어떤가? 처음과 달리 느껴지는 감각의 디테일부터 다르지 않은가? 한 걸음 내딛기가 뜨거울 것이다. 바로 이것이 상상이라는 요소의 장점이다.

'상상'은 여러분이 연기를 유리한 조건에서 할 수 있도록 만들어 주는 무기이다.

다음으로는 **'집중(몰입)'**이다. 말 그대로 앞서 상상한 상황, 장면에 집중(몰입)하는 것이다. 다소 추상적인 설명일 수 있지만, 집중이라는 것은 배우가 '주어진 상황에 스며드는 과정'이라고 말할 수 있다.

선천적인 집중도는 사람마다 다르지만, 후천적인 훈련으로 얼마든지 기를 수 있다. 필자가 집중력을 기르기 위해 자주 사용하는 훈련을 소개하겠다. 잠들기 전 약간의 시간만 투자하면 된다. 아침에 눈을 뜨고 하루를 시작한 시점부터 잠자리에 눕기 직전까지의 하루를 허공에 그려보는 것이다. 눈을 감지 말고 뜨고 해야 의미가 있다.

마지막으로 ‘**감각**’이다. 이것은 흔히 아는 오감이다. 앞서 ‘감각을 연다.’는 표현은 오감을 활성화해 액션에 민감하게 **리액션**이 되도록 하는 과정인 것이다.

이렇게 감각을 열어 주는 이유는 자연스러운 충동을 느끼기 위함인데, 자연스러운 충동이라 하면 감정, 시선,화술, 동선 등 배우가 자연스럽게 느낄 수 있는 모든 것들을 아우르는 말이다. 이에 대해서는 뒤에서 더 자세히 다루도록 하겠다.

여러분들이 여기까지 3 요소에 대해 이해를 했다면 진실한 연기를 하려는 준비 운동을 마쳤다고 해도 무방하다.

이어서 자연스러운 충동에 관해 설명을 할 차례다.

하지만 그전에 나의 연기론에서 대단히 큰 지분을 가지고 있는 ‘나로서’에 대해 짚고 넘어가려고 한다.

3) 나로서

앞으로 필자는 '나로서'라는 표현을 많이 사용할 것이다. 그래서 연기에 대해 더 이야기하기 전에 이 표현에 대해 설명해 드리려 한다.

필자가 앞서 말했듯, 사람들은 저마다 각각의 다른 삶(드라마)을 살아오고 있다. 하지만 연기를 할 때는 나와는 다른 캐릭터, 타인을 연기해야 하는 것이 대부분이다. 그럼 연기를 할 때마다 나와는 전혀 다른 무언가를 창조해야 하는 것일까?

그렇다. 해야만 한다. 언젠가는. 그러나 지피지기면 백전불패. "나를 알아야 타인의 삶도 완벽히 살아갈 수 있는 법." 따라서 섣부르게 캐릭터 혹은 타인을 연기하려 한다면 제대로 연기할 수도 없을 뿐더러 안 좋은 연기 습관만 생길 뿐이다. 그렇기에 '나' 자신이 어떤 사람인지 먼저 탐구와 관찰을 해보고, '나로서' 시작하는 연기를 하는 것이 중요하다.

연기를 어느 정도 해 온 분들이라면 다들 '만약에 if'를 한 번씩 들어봤을 것이다. 만약에 if 라는 것은 주어진 캐릭터나 상황에 '만약에 나라면'을 가정해 보는 연기법이다. 이것은 내가 정말 좋아하고 애용하는 연기법 중의 한가지이다. 하지만 내가 사용하는 '나로서'의 연기법과는 작은 차이가 있다. '자문'이다.

첫 대사가 "보고 싶어."라면 자신에게 물어본다…….

"지금 이 말을 하고 있는 너의 마음은 어때?"

이렇게 시작해서 물음에 답하며 자신 스스로를 상담한다. 그렇게 내면에 숨어있는 진솔한 '나'의 모습을 꺼내서 연기하는 것이다.

연기할 때는 정말 정해둔 것 없이 감각을 열고, 파생되는 '자연스러운 충동'을 그대로. 이것이 곧 '나로서'의 연기이다.

4) 자연스러운 충동

필자가 말하는 충동이란, 정해둔 것 없이, 연기하는 중 그 순간에 느끼는 모든 무언가이다. 이것을 '충동'이라고 한다.

그리고 중요한 건 무언가를 느껴야만 한다는 부담감은 없어야 한다는 것이다. 연기할 때 충동이 느껴지지 않는다면 느껴지지 않는 대로, 느껴지는 충동이 있다면 있는 대로 주저하지 않고 자신의 연기를 믿고 끝까지 해나가는 것이다.

이것이 '자연스러운 충동'이다.

필자 역시도 이 과정을 배울 때가 있었다. 그때 나의 스승님께서 해주신 말씀이 있다.

"미새야, 누군가에게 바보 같아 보여도 미친놈 같아 보여도 돼. 이상한 사람으로 찍혀도 돼. 연기하는 걸 두려워하지 마. 일단 해. 너의 길을 헤쳐나가!"

이 말이 있었기에 지금의 배우 박미새가 있다고 해도 과언이 아닐 정도로 많은 깨달음을 주었던 말이다. 이 당시 필자는 연기할 때 느껴지는 충동을 표현하는 것을 주저하고 두려워하고 있었다. "이게 맞나?"하는 생각이 자꾸만 들었다. 그런 나의 모습을 보신 스승님께서 너의 연기가 정답이란 것을 스스로 믿고 자신감 있게 연기하라는 의미에서 해주신 말이었다. 여러분도 연기하는 것을, 표현하는 것을 두려워하지 마라. 당장은 연기하는 것이 어색하고 우스꽝스럽고 부끄럽게 느껴져도 계속 믿고 나아가다 보면 누군가는 그런 당신의 모습을 보며 꿈을 꾸게 될 것이다. 나의 꿈이 또 다른 누군가의 꿈이 된다는 것은 얼마나 아름다운 일인가.

이제 자연스러운 충동에 대해 디테일 하게 알아보자.

첫 번째로 알아볼 것은 **'감정'**이다. 연기를 배우지 않아도 '연기'라는 말을 들으면 떠오르는 것 중의 하나가 감정일 것이다. 그만큼 연기를 할 때 표면에 자주 나타나는 에너지가 바로 감정이다. 자주 노출되다 보니 관련된 편견도 많다. 이를테면 '감정 연기를 잘하면 연기를 잘하는 것'과 같은……. 사실 맞는 말이다. 하지만 보이는 것에만 중점을 둔 많은 사람들이 진실한 연기는 개나 줘버리고 느껴지지도 않는 감정을 만드는 개 같은 연기를 하기 시작한다.

절대 그러지 않았으면 좋겠다. 감정도 하나의 '충동'이다. 느껴지지 않으면 느껴지지 않는 대로 연기를 하면 된다. 그리고 연기 시작 전에 감정 잡는다고 슬픈 노래를 듣거나 청승 떨지 말라. 다시 한번 강조하지만, 감정도 하나의 충동이다. 당신이 상황에 대해 충분히 몰입한다면 자연스럽게 느껴질 것이다.

즉, 느껴지지 않는다면 보여지는 감정을 만들기보다는 스스로가 극에 스며들 수 있는 시간을 충분히 부여하라. 집중이 된다면 저절로 내면의 에너지가 채워질 것이다. 그 에너지가 자연스러운 충동으로서 나왔을 때 우리는 그것을 좋은 감정, 좋은 에너지라고 말한다.

신출내기부터 연기를 좀 배운 사람들까지 감정에 대해 많이 헷갈려하고 잘못 알고 있는 부분을 이야기 해 보려고 한다.

여러분은 감정을 무엇이라고 생각하는가? 보통은 "느껴지는 것"이라고 대답 할 것이다. 정답이다. "느끼는 것". 그렇다면 예문을 보자.

"내가 느끼기에 너는 나를 사랑하지 않아." 이 말을 한 화자는 '사랑받고 있지 않음'을 느끼고 있다. 그렇다면 화자의 감정 상태는 '사랑받고 있지 않음' 일까? 그렇지 않다. 사랑받고 있지 않음을 느낀다는 것은 본인 스스로의 생각이고, '진짜 감정'은 저 말을 한 화자의 '심정'이다. 저 말을 여자친구에게 한다고 해 보자. 울적함, 슬픔, 공허함 등의 감정이 느껴질 수 있다.

이것이 바로 진짜 감정, '진실된 감정이다'.

두 번째로 알아볼 것은 **'움직임'**이다. 결론부터 말하자면, 망설이지 마라! 연기를 해 본 사람이라면, 순간적인 감정의 충동으로 예상치 못한 움직임을 하려는 신체 반사를 경험한 적이 있을 것이다. 그러나 100 중에 90 은 평소에 연습한 동선이 아니라는 이유로 그 좋은 청신호를 무시하고 짜인 동선대로, 짜인 움직임대로 연기를 진행하는 경향이 매우 강하다. 앞으로는 그러지 마라. 몸이 이끄는 대로, 충동이 느껴지는 대로 움직여라. 극단적으로, 연기를 하다 옆돌기가 하고 싶어지면 해라. 해도 된다.~~(현장에서 그러면 안 된다)~~

동선이 조금 더러워 보여도 괜찮다. 신체의 충동을 극대화해서 본인 것으로 만들어라. 연기의 짜임은 그 뒤의 이야기이다. 느껴지는 대로 물 흐르듯이 연기를 해보는 것이 우선이다.

마지막으로 알아볼 것은 **'화술'**이다. 흔히 말하는 화술은 '대화의 기술'이다. 하지만 내가 말하는 연기에서의 화술은 기술이 아니다. 필자가 의미하는 화술은 본인만이 가지고 있는 말의 '개성'이다. 아마 자기 관찰을 잘하고 있는 배우라면 평소 본인의 억양, 어투, 호흡, 습관을 잘 알고 있을 것이다. 이것을 연기 할 때 적재적소에 잘 사용하면 끝이다. 여러분이 잘 알 만한, 이것을 아주 잘하는 사람이 바로 유해진 배우이다.

그러나 평소 잘못된 말하기 습관이 있다면 반드시 고쳐야 한다. 필자 역시도 좋지 않은 습관이 있었다. 'ㅎ' 자가 들어간 발음만 하면 호흡이 한번에 빠져나오는 악습관이었는데, 글을 소리 내어 읽으며 녹음한 뒤 피드백하는 과정을 반복하여 지금은 완전히 고쳤다. 이 방법으로 거의 모든 말하기 문제를 고칠 수 있다고 장담한다. 필자는 사설을 검색해서 찾아 읽었다. 본인 판단 하에, 하루에 조금씩 필요한 만큼만 하면 된다.

5) 목적(초급)

여러분의 삶엔 '목표'가 있는가? 필자가 생각하기에 목표라는 것은 인생의 과정 중 마지막 '도착지'이다. 그럼 '목적'이라는 것은 무엇일까? 바로 목표를 향해 가기 위해 중간마다 거치는 '경유지'이다. 서울역에서 부산역으로 가려 할 때 '목표'는 도착지인 부산역이고, 부산역에 도착하기 전 천안역, 대전역 등등 경유하는 역이 목표를 향해 가기 위한 '목적'이라는 것이다. 이렇듯 우리의 삶도 목적을 달성해야 다음 목적으로 넘어 갈 수 있다. 그런 과정을 거쳐야만 끝끝내 '목표'라는 지점에 다다르는 것이다.

그래서 처음에 필자가 질문을 했다. "여러분의 삶엔 '목표'가 있는가?" 질문에 대한 답이 나왔다면 그 목표를 가기 위한 '목적'

에 대해 생각해 보라. 없다면 지금부터 삶의 계획을 세워보기를 추천한다.

연기의 목적도 위에서 설명한 것과 크게 다름이 없다. 하지만 필자는 이렇게도 표현하고 싶다. "인물이 이루고자 하는 의지"라고. 본인의 삶에도 목적이 없으면서 타인의 목적을 어떻게 이해할 것인가? 그런 주제에 타인의 목적, 그 의지를 연기로 표현한다는 것은 관객에 대한 기만이라고 생각한다.

서론이 길었다. 이제 본론의 내용을 담겠다. 위에서 말했듯이 필자에게 목적이라는 것은 "인물이 이루고자 하는 의지"이다. 이러한 목적은 상황에 따라, 인물이 처한 매 순간마다 조금씩 달라지며 그 앞엔 항상 목적을 가로막는 '갈등'이 있다. 보통 극에서는 이 '갈등'이 주요 사건으로 다뤄지고, 인물은 갈등을 헤쳐 나가 목표를 이루며 극의 결말부로 향한다. 즉, 극에서 인물은 항상 목표를 달성하기 위해 움직이며 그 과정에서 연속적으로 목적을 달성해 나가는 것이다. 배우의 숙제는 인물이 가지고 있는 목적을 캐치하여 그 인물의 의지를 담아 연기하는 것이다. 그러나 보통의 배우나 지망생들은 이것을 잘하지 못한다. 연기를 시작하기 전에는 목적을 잘 캐치해 놓았으면서 연습을 거듭할 수록 목적을 잃어버리는 경우도 있고, 본인이 설정해 놓은 목적을 이해하지 못하고 목적성이 없는 연기를 하는 경우도 허다하다.

이는 삶을 연기하는 배우가 '삶의 의지'를 잃어버린 격이다.

목적을 명확히 알고 하는 연기와 그렇지 않은 연기는 천지 차이이다. 예를 들어, "하지 마."라는 대사가 있다고 하자. 이 대사를 그럴싸하게 뱉을 수 있는 사람은 많을 것이다. 하지만 짧은 대사니까, 주어진 대사니까 '그냥' 말하지 말고, (강아지를 향한) 괴롭힘을 멈춘다. 라는 목적을 설정하여 대사를 뱉어보자. 이제 필자가 말하는 의지가 담긴 대사가 무엇을 뜻하는지 이해했는가? 이렇듯 목적이 명확한 말과 행동은 상황을 설득하는 능력이 있고, 관객에게서 공감을 불러 일으킬 수 있다. 그것은 곧 배우의 평가로 이어진다. 목적이 질 좋은 배우와 그렇지 않은 배우를 나누는 것이다. 그리고 목적은 짧고 간결할수록 좋다.

6) 분석

분석은 필자의 연기에서 매우, 매우, 매우 중요한 대목이다. 필자가 앞서 연기는 '나로서' 하는 것이라고 했다. 이때의 '나'란 '맨몸'의, 실오라기 하나 걸치지 않은 '날것'의 '나'를 의미한다. 그리고 '분석'이란 날것의 나에게 캐릭터라는 '옷'을 입혀 주는 과정인 것이다. 즉, 오로지 나로서만 연기를 한다면 반쪽짜리 연기이고, 여기에 분석을 더해야 필자가 원하는 만점짜리 연기라고 할 수가 있다는 것이다. 분석을 정말 잘한 예로 드라마 <스물다섯 스물하나>의 김태리 배우를 들 수 있다. 실제로 세간의 평가를 살펴보면, '평소 김태리와 나희도의 모습은 분간이 되지 않는다'는 의견이 많았다. 동의한다. 즉, 김태리 배우는 '나로서'의 연기와 훌륭한 '분석'을 통해 글자 속의 '나희도' 라는 캐릭터를 딱 맞춰 입은 훌륭한 케이스인 것이다.

그렇다면 어떻게 하면 이런 훌륭한 분석을 해낼 수 있을까? 바로 '자기 관찰'과 '캐릭터 관찰'이다.

이 관찰 훈련에 대해 본격적으로 말하기에 앞서 당부의 말이 있다. 이 훈련들을 포함, 모든 연기 훈련은 하루 이틀만에 완성되지는 않는다. 평소 일상에서 관찰하고 꾸준히 훈련을 해야 비로소 본인의 것이 되는 것이다. 성실함과 꾸준함의 정신으로 무장하라.

본론으로 돌아가, **'자기 관찰'에 대해 이야기해 보자**. 대개 사람들은 처음 대본을 받으면 시나리오와 캐릭터를 파악하고 이미 만들어져 있는 '옷'에 자신을 끼워 맞추려 한다.

운이 좋다면야 정말 희박하게 '나'에게 맞는 캐릭터를 입을 수 있지만 굳이 연기로 확률 싸움을 할 필요가 없다. 그렇기에 생각을 살짝 바꿔보는 것이다. 이미 만들어진 옷이라 생각하지 말고, 시나리오에 있는 재료를 이용해서 분석을 통해 나에게 맞는 옷을 만들어 입는 것이라고. 옷을 만들려면 무엇이 필요할까? 나의 허리 둘레, 다리 길이 등 나의 정보를 알아야 하지 않겠는가.

그것이 필자가 말하는 '자기 관찰' 이다. 나의 평소 습관, 성격, 걸음걸이 등 모든 것을 관찰하고 기억하는 것이다. 하지만 일상을 관찰하고 기억한다는 것은 정말 어렵다. 그래서 필자는 나만의 관찰법인 '5분 인지 관찰' 훈련법을 만들었다. 훈련 내용은 따로 뒤에서 설명 드리겠다.

이제 **'캐릭터 관찰'에 대해 이야기해 보자**. 나에 대해 파악했다면 옷을 만들기 위해 진행할 다음 단계는 내가 입을 옷에 대해 '관찰'하는 것이다. 이 단계는 정말 간단하다. 시나리오를 최대한 많이 읽고 그 캐릭터의 성격, 습관, 정서

등 인물이 살아온 삶의 정보를 모은다. 그 뒤 '나'와'캐릭터' 사이에 대치점을 찾고 공감하며 캐릭터와 내가 친밀해지는 과정이 캐릭터 관찰인 것이다.

이렇게 하면 옷을 만드는 과정이 끝난다. 이렇게 캐릭터를 입은 '나'를 창조해내면 되는 것이다.

사실 말이 거창해서 창조인 것이지 계속해서 시나리오를 읽고 과정을 하나씩 밟아 나가다 보면 자연스럽게 그 캐릭터를 입은 나를 발견하게 될 것이다. 그러니 겁먹지 말자. 이경영 배우의 명대사가 있지 않은가. "진행시켜."

마지막으로 분석에서 가장 가까이해야 하고, 또 가장 경계해야 할 **'느낌'**이란 것에 대해 다뤄보겠다.

드라마나 영화 등을 보면 주인공을 적대하는, 갈등의 주된 원인인 악역이 등장한다. 그렇지만 그 인물이 악역인 것은 어디까지나 **관객**이 주인공 입장에서 바라보았을 때뿐이다. 이쯤 되면 눈치 빠른 독자들은 필자가 무엇을 말하고 싶은지 알아챘을 것이다. 배우의 시선에서 볼 때는 '악역'이 없어야 한다. 내가 주인공을 적대하는 역할을 가졌다고 해서 그 역할이 나쁜 사람, 악역이라는 느낌을 가지고 인물에게 다가가면 안 된다는 것이다. 왜냐하면 사람들은 나름의 '정의감'을 가지고 살기 때문이다.

같은 사람이 상황에 따라 누군가에게는 악역이 되고 또 누군가에게는 선역이 되는 경우는 흔하다. 삶을 살아가는 인간이라면 누구나 그렇다. 배우는 캐릭터를 바라볼 때 악역이 아닌, 나름의 정의감을 가진 하나의 인물로 바라보아야 한다. 연기할 때 역시 캐릭터의 정의감을 가지고 연기를 해야지 그렇지 않으면 그저 '나쁜 척'이 되기 십상이다.

다른 유형의 캐릭터 역시 똑같다. 밝은 캐릭터라고 해서 마냥 밝은 느낌으로 연기하면 안 된다. 캐릭터 각각의 삶을 존중해 줘야 한다. 이와 같은 맥락으로, 대본 속 대사만 살피고 '그 억양이 강한 것 같아서', '슬퍼 보여서', '화나 보여서'와 같이 본인의 느낌만으로 연기에 다가가는 것은 좋지 않다. 좋은 배우가 되기 위해서는 인물의 입장에서 바라보는 연습이 필요할 것 같다.

그렇다고 해서 느낌으로 연기하는 것이 나쁘다는 것은 아니다. '나'와 '인물'의 대척점에서 예상치 못한 센스를 선보이면 그만큼 강렬하고 생동감이 넘칠 수 없다. 이러한 좋은 애드리브 역시 배우의 '느낌'에서 오는 것이다. '느낌'을 배우로서 가장 경계해야 하며 가장 가까이 해야 한다는 것은 바로 이러한 의미이다.

7) 리액션

레디~ 액션!

다들 한 번쯤 들어 보았을 것이다. 그렇다, 연기를 시작하라는 신호이다. 그렇지만 필자는 '레디~ action!' 이 아닌 '레디~ reaction!'이 더 올바른 사인이라고 생각한다.

연기는 영어로 'acting'이고 배우는 'actor', 직역하자면 행동하는 사람이다. 그러나 필자는 'acting'보다 'reacting'을 더 중요시 한다. 필자에게 있어서 "배우=reactor", 즉 행동하는 사람이 아닌 '반응하는 사람' 이라는 것이다. 연기는 혼자서 하는 것이 아니기 때문이다.

배우에게 자극을 주는 상황이 있을 것이다. 현장에는 상대 배우가 있고 하물며 독백을 할 때 역시 상상을 통해 상황과 상대역을 느끼며 연기하지 않는가. 쉽게 말해 연기는 0(無)에서 끌어 올리는 것이 아닌 상황이나 상대역 따위의 자극으로 인해 나오는 배우의 반응 창조, 그것이 연기이다.

사실 필자가 리액션을 정말 잘했다면 연기를 잘하려는 노력 따위 하지 않았을 것이다. 리액션을 잘한다는 것 자체로 이미 연기를 잘한다는 의미이기 때문이다. 이렇게 필자가 리액션을 강조하는 이유는 대다수의 연기하는 사람들이 자기 독백하기에 바빠, 또는 다인극에서조차 본인의 대사를 내뱉기 바빠, 상대와 그 주변이 주는 신선한 자극을 철저히 무시한 채 혼자서 하는 연기를 하기 때문이다. 본인이 이 문제를 인지하고 있다면 다행이지만 그게 아니라면 유감이다.

하지만 알고 있는가? 당신은 리액션을 잘하는 법을 알고 있다.

심지어 당신은 오늘 퍼펙트한 리액션을 하며 지냈을 것이다. 이 책을 읽고 있는 지금 이 순간에도 당신은 리액션을 하고 있다. 나의 책이 여러분에게 조금의 영향을 끼쳐 사고를 하게 된 것, 그것조차도 리액션의 범주이다. 하지만 왜 연기만 하면 리액션을 하지 못하게 되는 걸까?

먼저, 자신의 말에 집중하기 때문이다. 평소에 말할 때 대사처럼 할 말을 다 정해 놓고 하는가? 아니면 누군가 말을 걸었을 때 즉각적으로 반응해서 본인의 말을 뱉는가? 당연히 후자일 것이다.

연기 속 대화가 일상의 대화와 다른 점은 우리가 상대의 대사와 행동을 알고 있다는 것이다. 그러면 사실 문제는 더 쉬워진다. 변수는 생각할 필요 없이 상대방 혹은 주변에만 집중한다면 반응 정도야 쉽게 할 수 있을 것이다. 하지만 상대방의 대사와 행동을 알고 있다는 바로 그 점 때문에 아이러니하게도 살아있는 리액션이 나오기 힘들어진다. 이 문제를 해결하기 위해서는, 들어라!(hear) 들으라는 것은 단순히 귀를 열라는 것이 아니다. 온몸을 열어서 언제든 리액션을 할 수 있도록 준비하라는 의미이다. 리액션은 주변과 '상호작용'하는 것이기 때문에 배우는 항상 온몸의 감각을 열고 상호작용을 할 준비가 되어 있어야 하는 것이다. 그러니 나의 대사는 잠시 내려 놓고 온전히 상황에 집중하여 상대방이 무슨 말을 하는지 들으려고 노력해라. 듣고 반응하여 대답해라. 그 반응이 당신의 대사와 다르더라도 상관 없다.

이것이 '대화'이고 리액션이고 상호작용이다. 이때 누군가 카메라만 들고 있었다면 당신은 훌륭한 장면을 담은 것이다. 또한 이렇게 감각을 열었다면 자연스레 충동들이 따라 올 것이고 나도 모르게 상황에 녹아들어 '연기 할 때 연기를 하지 않는' 아주 훌륭한 연기를 할 수 있게 되는 것이다.

8) 호흡

'호흡'이란 무엇일까? 흔히 들숨과 날숨의 연속을 우리는 '호흡'이라고 한다. 그렇다면 연기를 할 때 호흡이 왜 필요할까? 당연한 말이지만 우리가 평소에 숨을 쉬며 살아가고 있기 때문이다. 그리고 이 당연한 것이 연기만 시작하면 가장 어려운 과제가 된다. 한마디로 연기만 시작했다 하면 숨 쉬는 방법을 잊어버린 사람처럼 이상하게 호흡을 하는 모순적인 상황이 발생하는 것이다. 이유는 다양하다. 긴장, 신체의 과한 텐션, 대사의 강박, 잘못된 연습 등. 그렇다면 이와 같은 문제점은 어떻게 고칠 수 있을까?

사실 호흡 불량의 근본적인 원인은 '여유'이다.

연기를 할 때 연기에 집중하지 못하고 대사, 동선 등 잡생각을 하기 시작하면서 연기를 잘해야 한다는 강박에 사로잡히는 것이다. 이렇게 되면 스스로를 옥죄는 연기를 하게 된다. 그렇기에 평소 대사와 역할을 숙지하고 수시로 오디션 현장을 이미지 트레이닝하며 현장감에 적응해 나가면서 연기에 대한 자신감을 키우는 노력을 할 수밖에 없다.

호흡에 관하여 필자가 전해주고 싶은 말이 있다. 여러분은 한때 즐겨 듣던 노래를 오랜만에 들었을 때, 그 노래를 듣던 당시의 기억이 문득 떠오르는 경험을 해 보았을 것이다. 그리고 기억과 함께 당시 느꼈던 슬픔, 행복 등 다양한 감정들도 떠올렸을 테다. 이것을 필자는 '정서적 기억'이라고 한다. 필자가 뜬금없이 정서적 기억을 설명한 이유는 '호흡'도 이와 같은 작용을 하기 때문이다.

정서적 기억이 어떠한 매개(경험의 기억)를 통해 감정을 떠올리는 것이라면 호흡은 특정한 감정의 호흡을 가지면 그 감정이 만들어지도록 돕는다. 예로, 사람들은 울고 난 후 평소와 같은 일정한 호흡이 아닌 본인 특유의 훌쩍이는 호흡을 갖는다. 그래서 일부 배우들은 슬픈 감정을 느끼기 위해 이러한 호흡의 특성을 이용해 감정을 느끼려고 하곤 한다.

다시 말해, 앞서 필자가 강조하던 '충동→호흡'이 아닌 '호흡→충동'의 순서인 인위적인 충동을 만드는 것이다.

때문에 이 방법은 필자의 기준에서 진실된 연기라고 보기에는 무리가 있다. 하지만 호흡을 하나의 연기 테크닉으로서 사용한다면 현장에서 도움이 될 것이 분명하기에 다뤄보도록 하겠다.

필자는 계속 강조하듯이 '진실'로서의 연기를 추구하는 배우이다. 그런데 왜 인위적인 충동을 이용하는 연기 테크닉을 알려 주려 할까? 그것을 이해하려면 먼저 필자에 대한 간단한 소개가 필요하다. 바로 필자의 필드는 무대가 아닌 카메라 앞이라는 것이다.

무대는 당연히 라이브로 장면 하나에 단 한 번 온 힘을 쏟아서 최선을 다해 인물의 삶을 살아가면 되지만, 매체 연기, 즉 카메라 연기는 보통 한 씬을 마스터쇼트로 촬영하고, 클로즈업, 버스트 숏, 풀 숏 등 같은 씬을 여러 번으로 나누어서 다시 촬영한다. 다시 말해 매체 연기를 하는 배우는 한 장면을 촬영할 때 한 번의 연기가 아닌 여러 번의 연기를 한다는 것이다. 그렇기에 무대 연기처럼 한 쇼트에 온 힘을 쏟아 버리면 다음 컷을 찍을 때 에너지가 소진되어 다음 연기를 하기 힘들어지는 상황에 놓이게 된다. 그래서 힘을 들이지 않고 연기하는 요령인 연기 테크닉을 사용하는 것이다. 그리고 그중에서 대표적인 것이 호흡 테크닉이다. 앞서 말한 대로 특정 감정을 느끼는 상황에 본인이 어떻게 호흡하는지 관찰해 보고 그 호흡을 기억한 다음, 인위적으로 그 호흡을 사용하여 충동을 느끼는 연습을 하는 것이다. 이것이 전부다. 그렇지만 이것은 충동을 느끼기 빠른 방법인 만큼 진실된 연기에서 거리가 먼 연기법이라고 필자는 생각한다. 그렇기 때문에 어디까지나 현장에서 체력적으로 힘든 상황이 오거나 제한이 생겼을 때 사용하면 좋겠다. 현명하게 판단하여 적재적소에 사용하길 바란다.

9) 실제인물

시나리오 속의 인물들은 대부분 작가에 의해 '창작'된 캐릭터이다. 그렇기 때문에 '나'로서, 나의 분석으로 연기를 하는 것이 가능했다. 하지만 내가 연기해야 하는 인물이 실제 인물이면 말이 달라진다. 이 경우엔 내가 해당 인물이 되어야만 하기 때문이다. 말 그대로 메소드를 해야 한다는 뜻이다. 그렇게 하기 위해서는 촘촘한 인물 분석과 함께 그의 습관, 일생, 일대기,사소한 걸음걸이까지 모두 내 것으로 만드는 일이 필요하다. 그렇기에 평상시에도 나와 그 인물이 가까워지기 위해서 열심히 나의 일상을 해당 인물의 일상으로 살아야 한다.

더욱 메소드로 향하기 위해서는 '공감'과 '통감'의 영역을 이해하면 수월해진다. 통감은 사전적인 의미로 '나 또한 마음으로 사무치게 느끼는 것'이다. 앞서 필자는 '나로서'와 '분석'을 설명한 바 있다. 바로 이 두 가지의 뿌리가 인물의 상황과 마음을 헤아리는 '공감'에서부터 나온 것이다. 여기에서 더 나아가, 마치 내가 인물인 것처럼 '동일시'되는 것이 '통감'이다. 물론 이것을 안다고 해서 바로 통감을 익힐 수 있는 것은 아니지만 아는 것과 모르는 것의 차이는 반드시 있다. 연기를 글로 깨닫자고 공부하면 연출가이다. 반대로 경험을 통해 깨닫는 것이 배우이다. 즉 배우라면 글에서 읽고 끝내는 것이 아니라, 부딪혀 보고 본인의 경험에서 깨달음을 얻고 본인의 것으로 만들어 가야 하는 것이다.

다시 말해, 글로 읽었을 때 잘 모르겠다면 직접 경험해 보아라! 그럼 뒤늦게라도 나의 말의 의미를 알게 될 것이다.

마지막으로 실제 인물을 연기할 때 주의해야 할 점이 있다. 나의 주관과 해석이 들어가는 것이다. 이것이 정도가 지나치다면 해당 실제 인물에게 예의가 아닐 수도 있고, 나의 주관적 해석이 들어가면 시나리오를 해칠 수도 있기 때문에 주의해야 한다. 보통 실제 인물을 연기할 때 근거와 객관적인 해석을 가지고 연기하는 것이 바로 이런 이유 때문이다.(=정답이 있는 연기)

+ 나에게 하는 말

핑계 대지 말자. 세상은 과정을 봐주지 않아. 결과만 중요시 한다고. 그리고 너는 네 인생의 주인공이고 중심이다. 그런데 지금 시간을 헛되이 쓰면 나중에 타인의 시간을 축복하게 될 거야. "난 전에 재랑 친했었다." 그게 너의 이야기야? 세상은 네가 중심, 자기 중심이야. 네가 널 축복 할 시간이 그리고 자격이 충분히 있는데 왜 타인의 삶을 축복하는 삶을 살려고 하는 거지?

지금이라도 움직여! 내일의 나는 오늘의 나보다 나은 사람이어야 돼. 너 자기 스스로에게 미안하지 않을, 부끄럽지 않을 자기 자신이 되자. 핑계는 성공의 과정을 포기한 자들이 부끄러워서 본인을 감추는 비겁한 행동이니.

제 2 장

: 스물한 살부터 스물두 살의 미새

생각에 갇히지 말자. 생각에 갇히면 큰 것을 볼 수 없어.
그저 느끼자.

이때의 미새는 서울의 대학에 다니면서 어렸을 적 경험해 보지 못한 감정과 그 속의 아픔들을 경험했다. 이 시기는 이것을 연기에 녹이기 위해 '본질'에 집중했던 시기이다. 실연을 당해 보기도, 누군가에게 전적으로 의지해 보기도, 진짜 우정이란 것을 느껴 보기도 했다. 우물 안에만 있다 사회를 처음 경험해 보니 신세계나 마찬가지였다. 회사를 다니며 여기저기 오디션을 보기도 하고 작품도 촬영하고 연기 커리어도 본격적으로 쌓아 갔던 시기였다.

하지만 그만큼 경계해야 할 것도 늘었다. 바로 '술'과 '자유'였다. 대학에 다니며 자취를 하고 나를 구속할 사람이 아무도 없어지니 자유와 술에 취해, 해야 할 연기에 집중하지 못했다. 그렇게 발전 없이 시간만 보내던 그때였다.

같이 연기하던 주변의 배우들이 하나둘씩 현장에서 얼굴을 비추고 활약하기 시작했다. 그것을 보고 나는 어렸을 적 스스로에게 했던 말을 다시 되새기며 정신을 차렸다. 밤낮없이 연기에 대해 고민하며 다시 열정에 불을 지폈다. 하지만 곧 연기에 관한 한 가지 고민이 생겼다.

진실된 연기를 하는 '척'을 했는데 오디션에 붙거나 칭찬을 받는 일이 생겼던 것이다. 지금껏 내가 걸어온 '진실'에 완전히 반대되는 연기를 하는데도 주변의 인정을 받자 나는 방황을 시작했다. 그때 정말 우연히 유튜브 알고리즘에 최민식 배우님의 인터뷰 영상이 나왔다. 머리를 한 대 얻어맞은 기분이었다. 그 영상을 통해 흔들렸던 나의 연기관을 바로잡고 지금껏 달려올 수 있었다. 최민식 배우님의 말을 끝으로 본격적인 2장을 시작해 보도록 하겠다.

"내가 음식을 맛있게 끓여야, 다른 사람도 맛보라고 해줄 거 아니에요. 내가 맛없게 끓여놓고 맛있게 먹으라고 하는 건 사기잖아요. 내가 미쳐서 진짜 맛있게 먹고, 이거 진짜 맛있어요! 그래서 갔다 줬는데 별로 맛이 없대. 그건 소비자의 몫이죠. 관객의 몫이에요. 별로 맛없을 수도 있어요. 근데 적어도 속이지는 않았다는 거죠. 근데 그건 기본인 것 같아요. 우리가 연기를 잘하고 못하고는 이차원적인 문제예요. 내가 이 작업을 어떻게 대하는가, 정말 솔직하게 하고 있는가. 내가 연기가 아닌 양심을 팔지 않았는가."

1) Showing

연기를 하면서 나는 분명 감정을 느끼지도 못했고 진실로 최선을 다하지도 않았는데 누군가에게 칭찬을 받은 경험이 있지 않은가? 필자는 그때마다 생각했다. "아, 내가 진실하게 연기를 하지 않아도, 보여지는 것만 잘 꾸며도 인정받을 수 있구나."

이때부터 진실한 연기는커녕 보여지는 것에만 집중하고 짜인 동선, 인위적으로 만드는 호흡, 감정, 시선 등 완벽하게 보여주기만을 위한 'Showing'를 하기 시작했다.

그 결과, 연기가 많이 늘었다는 이야기도 자주 듣고, 보여지기 위한 반복 연습만 하다 보니 노력도 열심히 한다는 말도 듣고 행복했다. 하지만 필자의 책을 지금까지 꼼꼼하게 읽어왔다면 알 수 있을 것이다. 필자는 'Showing' 보다 '진실'을 추구하는 배우이지 않은가. 노선을 다시 바꾼 이유는 간단하다. 이내 쇼잉에 한계를 느꼈기 때문이다.

'질'의 차이이다. 다르게 말해 연기의 깊이에서 차이를 느꼈다. 분명 같은 독백을 하는데도 진실되게 연기하는 사람의 연기는 말 한마디에 밀도가 있고 연기 자체에 진정성이 느껴져 보는 이로 하여금 몰입하게 하는데, showing 으로 하는 연기는 겉만 보이는, 뭔가 잘하는 것 같지만 내면의 에너지가 하나도 느껴지지 않는 중심이 없는 연기로 느껴졌다.

또 '피드백 수용'의 한계가 느껴졌다. 배우는 시시각각 변하는 현장에서 살아남기 위해 스펀지 같은 말랑말랑한 상태여야 하는데 오히려 고집 있는 연기를 하게 되었다. 실제로 대학 입시 면접을 볼 때 같은 독백을 다른 느낌으로 해보라는 현장 피드백을 수용하지 못했다. showing 은 본질 없이 보여지는 것에만 신경을 써 연기하는 것이기에 내가 고집하여 준비한 것 이외에는 연기할 수 없는, 유연성이 0%인 기계가 되어버린 것이다. 배우는 무릇 '연기'를 잘해야 하는데 특정 '독백'만 잘하게 된 것이다. 우리는 수학만 잘하는 사람에게 '공부'를 잘한다고 하지 않는다. 연기 역시 마찬가지다. (특정)독백을 잘하는 것이 연기를 잘한다는 의미가 되지는 않는다. 혹여나 독자중에 'showing'을 하고 있다거나 그런 생각이라도 있는 사람이 있다면 유혹에서 벗어나기를 바란다. 고집을 피운다면 시시각각 변화하는 현장에서 흐름을 잡지 못할 것이다. 결국 다른 배우와 합을 섞지 못하는, 더 나아가 경쟁력이 없는 배우가 될 것임에 틀림없다. 눈앞에 놓인 떡에 현혹되지 말아라. 그저 꾸준하게 뿌리를 내려라. 뿌리를 내리다 보면 어느 순간 줄기가 자라날 것이며, 꽃이 피어 있는 당신의 모습을 볼 수 있을 것이다.

2) 목적(고급)과 무의식

보통의 배우들이 착각하는 것이 있다. 대사를 받으면 목적을 설정하고 그 목적에 따라 연기를 해내야만 한다고. 물론 이 방법이 틀렸다고 하지는 못하지만 필자의 시선에선 깊이가 없는 방식이 아닐 수 없다.

결론만 먼저 말하자면 목적은 '단일'이 아닌 '다수'이다. 그리고 이 다수는 모여서 '무의식'을 만든다. 사람들은 일상에서 한마디, 한마디에 목적을 담아내며 말하지 않는다. 다시 말해 우리의 일상을 살아가게 하는 것은 단일 목적이 아닌 수많은 목적들이 복합적으로 한데 모인 '무의식'이라는 것이다. 우리는 '무의식' 속에서 살아가는 인간이기에, 또 그러한 인간의 삶을 살아가는 배우이기에 매 초마다 변하는 무의식 속에서 살아가야 한다. 그런데 단 하나의 목적을 정해서 마디마다 의미를 담아 대사를 한다면 당연히 말은 나오지 않는다. 근본적인 원인을 찾지 못한 채 그저 '말'과 '대사'에 집중해 대사에 비트를 나눠 기계적이고 단조로운 연기가 나올 수 밖에 없는 것이다. 우리 모두는 정해둠이 없는 삶을 살아가고 있다는 사실을 잊어서는 안 된다. 그리고 우리는 그런 인간의 삶을 살아가는 배우라는 것을 망각해서는 안 된다. 무의식에서 살아갈 수 있다면 우리의 연기는 목적으로 살아가는 '캐릭터'가 아닌 다채로운 삶 속의 '인간'이 될 것이다. 의식적인 연기를 경계하자.

3) 타인: 또 다른 나

요즘 내 연기관의 핵심인 '나로서' 연기법에 변화의 바람이 부는 것 같다. '나로서'의 연기는 말 그대로 대본이나 극에 있는 인물을 '나로서' 연기하는 것으로, 글로 쓰인 대본을 지면에서 떼어내 (나로서) 인물에게 생동감 있는 생명력을 부여하는 연기법이다. 그렇다면 이 연기법에 무슨 변화가 생겼다는 걸까.

난 요즘 모든 사물이나 사람들을 입체적으로 보려고 노력한다. 사물에게 샤머니즘처럼 인격을 부여해 사물의 생각을 상상해 본다든지, 인물 특유의 제스처,호흡, 말투를 따라해 본다든지--- 신기한 것은 그렇게 따라하고 상상하다 보면 대상의 생각의 흐름이 내 머릿속으로 들어와 이해가 된다는 것이다.

그래서 생각했다. 기존에 있던 '나로서'의 연기는 장점이 많지만 큰 단점이 있었다. 아무래도 나로서 시작하는 연기이다 보니 다양성이 부족하다는 것. 그렇다면 나로서의 연기에 이 방식을 적용해 보면 어떨까?

그 결과 놀랍게도 내가 나로서 연기를 하는 것이 아닌 '타인으로서' 연기를 할 수 있게 되었다. 배우들은 자신보단 타인, 창착된 인물의 삶을 연기하는 일이 대다수이다. 그렇지만 나를 알아야 타인을 연기할 수 있기에 필자 역시 타인을 연기하기 위해 나로서의 영역을 발전시켜 왔는데, 드디어 타인을 연기할 수 있는 실마리를 찾은 것이다. 이렇게 다시 나의 연기관의 세계는 넓어졌다. 또 다른 미지의 영역으로 탐험할 차례이다!

'타인으로'의 연기에서 중요한 것은 두 가지, '관찰'과 '상상'이다. 사실 타인으로서의 연기에 접근하는 방식은 개개인마다 다르다. 그렇지만 필자는 두 방식을 사용하고 있다. 첫째, 주변인들을 '관찰'하여 '꺼내' 쓰는 방식과 둘째, 극의 인물을 '상상'하여 '창조'하는 방식이다. 물론 창조의 과정을 밟기 전 꺼내 쓰기의 영역에 적응한 후에 창조의 단계로 넓혀가는 게 이상적이라고 생각한다.

그러니 먼저 **'꺼내 쓰기'**에 대해 살펴보자. 사실 이 방식은 '분석'하고 비슷한 방식인데, 관찰 대상이 다르다. 분석은 '극 속의 인물'을 관찰하는 것이지만 꺼내 쓰기는 나의 '지인'을 관찰하는 것이다. 지인들을 관찰하고 기억해 뒀다가 극의 인물을 연기할 때 어울린다 싶은 지인을 극의 인물에 대입해 연기하는 것이다. 즉, 타인 모방 연기라고 할 수 있다.

하지만 꺼내 쓰기의 방식을 이용하여 연기 연습을 하던 중에 의구심이 들었다. 이것이 정말 내가 원하는 타인으로 가는 길일까. 내가 타인을 연기하려고 백날 분석하고 모방해 봤자 내가 정말 타인이 될 수는 없지 않은가. 그때 내가 놓치고 있던 부분이 떠올랐다.

'믿음을 전제로 한 진실'. 내가 타인이 될 수 없는 것은 사실이지만 **내가 타인(누군가)이라고 믿으면** 그것은 '나만의 진실'이 된다. 이 진실은 내가 실제로 타인이 될 수 없다는 사실과는 무관하다. 즉, 사실로서의 타인이 아닌 '나만의 타인'이 되는 것이다.

그렇다면 나로서의 연기법과 나만의 타인은 대체 어떤 차이점이있는 걸까. 둘 다 '나+분석'이 합쳐져 하나의 인물을 만들어 낸다는 건 같다. 하지만 비율의 차이가 존재한다. 나로서= 나(70%)+분석(30%)이라면 나만의 타인= 나(40%)+분석(30%)+상상력(30%)이라고 할 수 있다. 결론적으로 '상상력'이 추가된 것이다. 본래 나로서의 연기는 '나'가 분석이라는 옷을 입는 것이었다면 나만의 타인은 '나'가 분석이라는 옷을 입고, 상상력이라는 분장을 한 것이다. 즉, 나로서의 연기를 했을 때 부족했던 극에 맞는 캐릭터성과 다양성을 상상력을 통해 채우는 것이다. 그리고 점차 '상상력'의 비율을 늘리고 '나'의 비율을 줄여 완벽한 타인으로서의 연기를 향해 다가가면 된다.

여기까지가 21 살의 미새의 가치관이었다. 하지만 아무리 내가 원하는 연기를 향해 고민하고 두들겨 봐도 원하는 결과가 나오지 않았다. 그때 너무 답답한 마음에 그냥 미쳐서 연기를 해봤다. 그냥 아무 생각 않고 충동에만 맡겨서 정말 미친놈처럼 연기를 했다. 그랬더니 한 가지, 머릿속에 말 하나가 스쳐 지나갔다. **'나를 버리기'**였다. 타인으로서 연기를 한다면서, 무의식적인 두려움에 '나'를 버리지 못하고 나에 대한 자아를 가지고 있었던 것이다. 바로 이것이 더 발전할 수 없었던 이유였다.

해답은 '나를 버리기'였다. 쉽게 말해, 연기할 때 평소에 내가 하지 않는 생각, 하지 않는 견해를 머릿속에서 만드는 것이다. 연기를 하는 짧은 찰나의 순간들에 의도적으로 생각의 회로를 바꾸어 평소에 내가 하던 견해에서 나오는, 필자가 해오던 연기와는 전혀 다른 무언가를 계속 꺼내 보는 것이다. 이렇게 새로운 방식을 찾고 연습을 계속해 보았다. 생각보다 수월했다. 생각의 회로가 자연스럽게 바뀌고 충동을 받아들이는 것에 대해 거리낌이 없어졌다. 인풋, 아웃풋이 잘 이루어지고 있는 것이었다.

그래서 나는 한 가지 가설을 세워 보았다. 내가 지금까지 '타인' 이라고 했던 것이 어쩌면 **내 안에 숨겨진 내가 모르는 내가 아닐까?**

어쩌면 '타인' 보다는 **'또 다른 나'**라는 표현이 더 올바를지도 모른다. 미지의 '나', 아직 필자에게도 스스로조차 찾지 못한 모습이 더 숨어있을지도 모른다. 어떤 상황에서 어떤 충동으로 어떤 생각을 가지는지, 스스로 더 발전하고 계속 새로운 견해를 투입해 연기하면서 어떤 모습이 튀어나올지 아무도 모른다. 이렇게 생각하니까 연기가 더 흥미로워지지 않는가.

나도 모르는 미지의 나, 또 다른 나! 지금껏 살아오면서 사회적으로 만들어진 박미새가 아닌 **시나리오 속**을 살아온 완전히 다른 나를 탐구하는 것이다! 생각만 해도 두근거리지 않는가!

제 3 장

: 현재의 미새

연기는 삶의 전부가 아니다

어느새 3 장까지 써내려 왔다. 책에 적지는 않았지만 그동안 정말 많은 일들이 있었다. 작게는 대학교 입시, 크게는 회사에 들어간 일도 있었고 우연찮은 오디션의 기회로 좋은 작품에 합격하고 촬영한 일도 있었다. 나의 목표에 점차 다가가는가 싶다가도 최종 오디션까지 가서 독설을 받으며 떨어진 적도 있었으며 이런 일이 쌓이고 쌓여 공황장애, 무대 공포증까지 와서 스스로 연기로부터 도망친 적도 있었다. 그렇게 현재의 미새까지 글이 이어졌다.

제 3 장은 앞서 내려온 파트와는 사뭇 다를 것이다. 전까지는 '연기는 무엇일까'에서 시작해 삶을 탐구하는, 연기가 삶보다 상위 개념인 시각이었다면 현재는 **'삶은 무엇일까'**에서 시작해 연기를 바라보는, 그야말로 반대의 시각이 되었기 때문이다. 독자들 입장에서는 시각이 달라짐으로써 어떤 차이가 생기는지 의문이 들 수도 있겠다.

시각이 바뀌게 된 계기는 다름 아닌 '입대'였다. 필자는 입대 전까지 하루의 전부, 인생에서 전부가 그저 '연기'였다. 그렇기에 오직 연기에 대해서만 고민하고 공부를 해왔지 주변을 돌아 볼 여유 따위는 없었다. 하지만 입대하고 나서 자연스럽게 삶이란 대체 무엇일까를 고민하게 되었다.

그 고민 끝에 연기는 그저 내 삶의 일부이고 내 삶의 전부가 되지는 않는다는 생각과, 삶을 열심히 살아가다 보면

- 다르게 말해, **남들과는 다른 시간의 밀도**로 살아가면 배우 박미새가 아닌 인간 박미새로서 발전하게 될 것이고 자연스레 연기도 발전할 것이라는 결론을 도출하게 되었다. 이러한 결론은 오히려 연기의 본질에 대해 다가가게 되는 계기가 되었다. 또 스스로에게 여유가 생겨 삶에도 여유가 생겼다.

그리고 역사적인 내 인생의 모토가 생겼다.

"하고 싶은 것을 하며 살기보다는 이루고 싶은 것을 이루며 살자."

1) 그냥

누군가 필자에게 질문을 한다.

"어떻게 하면 연기를 잘할 수 있을까요?"

이에 예전의 필자는 진실은 어떻고 충동은 어떻고 주저리 주저리, 본질을 전혀 꿰뚫지 못한 채로 늘어놓는 대답만 할 뿐이었다. 하지만 현재에 이르러 이와 같은 질문이 들어오면 필자는 이렇게 말한다.

"그냥 해."

이 대답의 의미는 역설적이게도 필자가 지금까지 적어온 모든 것을 생각하지 말고 말 그대로 연기를 '그냥' 하라는 것이다. 하지만 오해해서는 안된다. 대충 하라는 것이 절대 아니다.

"하지만 연기 전에 분석을 해야 하고 뭐를 해야 하고 이것저것 생각을 해야 하고……."

이런 의문을 가지고 있다면 당신은 연기를 **'그냥'** 할 준비가 되지 않은 것이다. 준비가 먼저이다. 필자의 경우, 앞장에서 다뤘듯이 오랫동안 계속 고민하고 발전하려 하고 깨달으려고 하는 노력 속에서 자연스레 '준비'가 된 것이다. 그것을 통해 현재에 이르러 '그냥'의 연기가 도출되었을 뿐이다.

그렇다면 '그냥'의 연기란 무엇인가? 일상을 살아가는 중에 그곳에 우연히 카메라에 잡힌, 연기를 하지 않는 연기. 그것이 제일 좋은 연기이며 '그냥'의 연기이다.

삶을 알면 연기가 보인다는 말.

필자가 좋아하는 말이다. 하루 종일 주야장천 대본만 읽고 발성만 익힌다고 연기를 잘하게 되는 것은 아니다. 배우는 세상을 선생으로 삼고 죽을 때까지 배워 나가야 한다. 배우로서의 자신이 아닌 인간으로서의 자신을 아끼고 사랑해 줄 수록, 자기 계발에 시간을 투자할수록 본인의 연기의 폭을 크게 넓힐 수 있다.

필자로 예를 들면, 필자는 성공한 사람들의 공통된 말인 '나 자신을 사랑하라'는 마인드를 따랐다. 몇 년동안 거울에 비친 못난 내 모습을 보면서 스스로 최면을 걸어왔다. 눈도 예쁘네, 코도 예쁘네, 입술도 예쁘네~, 키 좀 작으면 어때 사는데 지장 없는걸~. 이렇게 지내니 주변 사람들에게 자존감이 높은 아이로 자리매김하였다. 또 자존감이 높다고 주변에서 평가하니 이미지를 지키기 위해 최면에 좀 더 힘을 썼다. 그렇게 자기 관리. 운동, 책 읽기, 피부 관리, 연기 연습 등을 시작했다. 스스로의 모습을 좋아할 수 있게 못난 내 모습을 감추느라 애썼다. 이것이 나를 사랑할 수 있는 유일한 길이라고 생각했다. 지금 생각해 보면 필자는 현실을 외면했던 것이다.

어느 순간 영원히 스스로 속이고 감출 수 있을 것 같던, 쌓아온 성이 무너져 버렸다. 내 모습을 보는 게 정말 싫었다, 죽고 싶을 정도로. 아무리 애써도 달라지지 않는 내 모습. 차라리 죽어버리면 스트레스도 받지 않고 편할까, 어쩌면 박미새라는 이름도 이를 도피하기 위한 페르소나였을지도 모르겠다는 생각까지 들었다.

그러던 어느 날 우연히 '럭키'라는 영화를 봤다.

주연인 유해진 배우. 등장부터 못생겼다. 그런데 중반부부터는 못생겼다라는 생각이 들지 않았다. 심지어 후반부에는 잘생겨 보이고 훈훈해 보이기까지 했다. 신기했다. 연기를 잘하고 못하고의 문제는 아니라는 것을 나는 직감했다. 다시 거울을 보았다. 스크린에 나오는 내 모습을 상상했다. 다양한 표정도 지어 보았다. 여전히 못생겼다. 그런데, 개성이 있다. 다시 어떤 표정을 지었다. 분명 더 못생겨졌는데 아름답다는 생각이 스쳤다. 이게 나다운 것이구나. 오랜만에 거울을 보면서 웃었다. 내가 스크린에 나오면 이렇게 개성 있는 배우가 되겠구나.

나는 깨달았다. 나 자신을 사랑하기 위해 애쓰는 것이 오히려 나 자신을 부정하는 것이었다는 것을.

정말 사랑하기 위해선 나 자신 그대로를 받아들이는 것이 우선이라는 것을 알게 된 뒤에 나는 새로운 삶을 살아가고 있다. 만약 필자와 같은 사람이 있다면 있는 그대로의 나를 인정하고 받아들이는 일을 먼저 해보는 것이 어떨까. '연기를 하는 나'를 위한 삶이 아닌 온전히 '나'를 위한 삶을 살아가다 보면 반드시 본인이 원하는 연기의 성취를 할 수 있을 것이다.

제 4 장

: 나만의 무기

연습은 습관이 될 수 없다. 일상만이 습관이 될 수 있다.

‘제 4 장’은 전쟁을 준비하는 필자만
의 방식을 소개한다. 배우에게 전쟁은 오디션과
현장이라고 할 수 있다. 여기서 생각을 해보자.
전쟁을 할 때 맨몸으로 참전하는가? 아닐 것이
다. ‘무기’를 들고 참전하지 않겠는가.
배우의 무기는 여러분도
흔히 들어보았을 ‘독백’이다.

1) 모놀로그와 오디션

모놀로그는 흔히 '독백'이라고 한다. 그리고 필자는 모놀로그를 '배우의 무기'라고 칭한다. 배우는 자신이 가지고 있는 모놀로그로 수많은 경쟁자들을 물리쳐야 하고, 심사위원과 관객들을 매료시켜야 하기 때문이다.

그렇다면 우리 배우들은 이 전쟁과 같은 현장에서 살아남기 위해 매력 있는 양질의 무기를 만들어야 할 것이다. 양도 많을 수록 유리하다. 그러면 어떻게 해야 질 좋은 모놀로그를 만들 수 있을지, 어떤 모놀로그를 선정을 해야 하며 어떤 식으로 접근을 하면 좋을지 생각해 보자.

먼저, 모놀로그는 주로 '오디션'을 볼 때 사용한다. '오디션'이란 중세시대의 '아우디레', 라틴어로 '경청하다' 라는 의미의 단어에서 유래되었다. 당시의 오디션은 오직 오페라 가수를 뽑기 위한 것만을 의미했지만 현대에 이르러 포괄적인 의미로 쓰이게 되었다고 한다.

사전적인 단어의 의미는 거창하지만 결국 연출, 스탭, 동료 배우와 함께 일할 사람을 면접을 통해 뽑는 것이다.

본론으로 넘어와, 필자가 하고 싶은 말은 모놀로그를 잘 준비하는 것도 중요하지만 오디션에 임하는 태도도 중요하다는 것이다. 함께 일할 '동료'를 뽑는 자리이기에 걸음걸이, 적극성, 준비성, 인성 등을 좋은 인상으로 심어두는 것이 중요하다.

'**독백선정**'은 자신의 무기를 고른다고 생각하면 이해하기 쉬울 것이다. 앞서 필자는 '자기 관찰'에 대해 언급한 적이 있었다. 이를 통해 여러분들은 자신의 캐릭터성과 이미지를 잘 알게 되었을 것이다. 바로 그것을 바탕으로 자신의 '무기'를 정하면 된다. 게임으로 예를 들면, 검사는 무기로 '검'을 사용하고 궁수는 '활'을 사용하지 않는가. 마찬가지로 자신이 관찰한 정보를 토대로 알맞은 모놀로그를 선정하면 되는 것이다. 굳이 자신에게 어울리지 않는 역할을 고를 필요는 없다. 예를 들어 나는 고등학생인데 80대 노인의 역할을 선택해서 어려운 싸움을 할 필요가 없다는 뜻이다.

한마디로 자기 관찰로 하여금 알게 된 나에 대한 정보를 바탕으로 비슷한 나이, 이미지, 성격 등을 가지고 있는 인물을 찾아 그의 모놀로그를 선정하면 되는 것이다.

또 필자가 개인적으로 독백 선정에 있어 가장 중요하게 여기는 요소는 바로 '흥미'이다. 아무리 본인에게 잘 맞는 독백을 찾았다고 한들 배우 스스로 해당 독백에 대한 애착이 없고 흥미가 없다면 그걸로 끝이다. 적절히 잘 맞고 흥미가 있는 독백을 선정하는 것이 당연히 유리하다.

또한 독백 선정에 있어 다다익선은 무조건적인 이득이다. '골고루'. 당연한 이야기지만 무기는 많을수록 좋다. 오디션 현장에서는 언제든 다른 연기를 요구할 수 있기 때문이다.

이때 주의할 점은 단 하나, 근본인 '나'를 잃으면 안된다는 것이다. 평소 당신의 모습을 떠올려 보아라. 웃기도 하고 울기도 하고 화도 내고 평온하기도 하다. 여러 모습이 보일 것이다. 하지만 그렇게 다양한 모습을 표출하는 와중에도 본연의 '나'를 잃지 않고 나로서 감정에 따른 다양한 모습을 보인다는 점이 중요하다. 다시 말해, 여러 모습을 보인다고 해서 근본적인 당신은 바뀌지 않는다는 말이다. 필자가 이렇게 강조하는 이유는 당신이 오디션장에서 시연할 첫 독백과 두 번째 독백 사이의 일관성이 필요하기 때문이다. 첫 독백으로 슬픈 장면을 시연하고 두 번째 독백으로 격양된 장면을 시연할 때, 나의 모습 없이 전혀 다른 사람으로 느껴진다면 진실된 배우로 보이지 않는다. 연출팀 입장에서는 굳이 거짓말하는 배우를 동료로 뽑을 이유가 없다. 때문에 모놀로그를 선정하고 연습할 때 본인이 거짓으로 연기를 대하고 있는 것은 아닌지 생각하며, 본연의 '나'를 잃지 않고 연습할 수 있도록 수시로 점검해 주는 것이 좋다.

*독백 루틴

여러분은 독백 대본을 처음 받으면 무엇부터 하는가?

배우들마다 각각 다른 접근 방식이 있을 것이다. 그러니 접근하는 방식에 있어 본인만의 루틴을 체득하는 것이 연기하는 데 큰 이점을 가져다 줄 것이다.

그래서 필자의 모놀로그 루틴을 여러분에게 소개를 해 주려고 한다.

1. 콜드 리딩을 하면서 인물의 정보, 사건, 상황과 맥락을 파악한다. / 천천히 책을 읽듯이 읽으면서 내용을 이해하는 과정

2. 인물이 있는 장소, 사물 등 연기에 도움이 될 자극을 구체적으로 머릿속에 그려 구축한다. / 필자의 연기 3 요소 中 상상력과 인물 분석을 바탕으로 하는 과정

3. 앞선 단계를 완료했다면 그 상황에 있는 '나'를 상상한 후 천천히 집중한다. / 만약의 'if'의 상황 가정을 통해 극에 스며들듯이 집중 후 이미지 트레이닝을 반복하는 과정

4. 이후 콜드 리딩을 통해 대사를 소리 내어 읽으며 역할과 대본을 암기 및 숙지한다. / 소리 내어 읽을 때 연기를 하지 않도록 주의하여야 한다.

5. 4 단계까지 완료했다면 인물이 이루고자 하는 목적을 파악한 후 연기를 실시한다. / 처음부터 잘하려 하지 말고 조급해하지 말 것.

6. 스스로에게 "너였다면 어땠을 것 같아?" 등 자가 질문을 한다. / 솔직한 충동이 나올 때까지 스스로를 상담한다.

7. 솔직한 충동을 느꼈다면 지금까지 한 연기를 기억하려 하지 말고 그대로 여러 충동을 느끼며 생생한 연기를 한다.

2) 올바른 연습법

모든 일에는 '연습' 이라는 과정이 존재한다. 그리고 과정은 결과에 큰 영향을 끼친다. 연기도 마찬가지다. 올바른 방향으로 연습하지 않는다면 오히려 이상한 습관이 생기고 아까운 시간만 낭비하게 될 것이다.

그 대표적인 예시가 '기계적인 연기'이다.

보통 연기과로 진학을 희망하는 학생들이 입시 실기 준비를 하면서 이 좋지 않은 습관을 가지게 된다. 정해진 동선, 정해진 화술과 함께 학원 선생님이 시키는 대로 움직이는, 스스로의 충동이라고는 1 도 없이 남의 연기를 그대로 카피하는 방식. 필자는 이것을 자의식이 없는 죽은 연기라고 부른다.

이들이 하는 연기 연습이란 독백 하나와 선생님들이 정한 충동을 받은 다음 그것과 똑같이 하기 위해 연습하는 '반복 연습'이다. 마치 인풋과 아웃풋이 항상 같은 기계가 되려는 것 같다.

물론 그러면서 깨닫는 부분도 있겠지만, 정작 연기에서 제일 중요한 '나'를 찾는 일에서 현저히 멀어지게 된다.(아무래도 남의 연기를 하는 것이다 보니 스스로 생각하는 것 없이 대사, 동선만 생각하기 때문)

그렇다면 좋은 연기 연습법은 무엇일까? 지금부터 필자가 꼭 알았으면 하는 연습의 몇 가지 팁을 설명하도록 하겠다.

'같은 독백, 다른 느낌'. 개인적으로 정말 쉽고 재미있는 연습법이라고 생각한다. 간단하게 말하자면 자기가 느껴지는 대로, 마음대로 울타리 없이 자유롭게 연기하는 것이다. 정해진 충동대로만 움직이는 '기계적'인 것과 다르게 연기를 할 때마다 새로운 충동을 느끼며 연기하는 것이다. ~~필자는 오로지 충동에만 맡겨 연습하다가 옆돌기를 한 적도 있다.~~

어렵게 생각할 것 없이 정말 느껴지는 대로 연습하면 된다. 현재에 와서는 필자는 같은 대본이라도 볼 때마다 새로운 충동을 느낀다.

이렇게 연기에서 오는 충동을 자유롭게 표현하며 연습하니 실전에서도 좀 더 생동감 있는 연기를 할 수 있다.

필자의 선생님이 말씀하셨다.

"연기를 잘하는 배우는 하나의 독백만 가지고 100 가지의 서로 다른 연기를 할 줄 알아야 한다"고.

"처음부터 연기하려 하지 마." 독자 여러분은 대본을 처음 받으면 무엇부터 하는가? 보통의 대답은 전 상황 확인, 결국엔 리딩 단계까지 자연스럽게 흐를 것이다. 바로 이

리딩 때 기피해야 할 습관이 나온다. 처음부터 연기를 하는 것이다. 이것이 바로 첫 단추부터 망하는 지름길이다. 처음 읽어 무슨 맥락인지 잘 모르는 대본을 대충 슥 보고 연기를 시작하면 그 '첫' 느낌에 빠져 버릴 수 있기 때문이다. 그러면 매너리즘에 빠져 생동감 있는 연기를 할 수 없을 수 있다. 그렇기에 올바른 맥락과 상황을 이해하지 못한 상황이라면 **섣부르게** 연기를 시작하지 말고 드라이하게, 국어책 읽듯이 무미건조 하게 대본을 시작하는 것이 가장 좋다.

"연습은 항상 카메라와 함께." 어쩌면 필자가 앞서 설명한 것을 모두 합쳐도 이것보다 중요하지 않을 수 있다. 실력 향상에 가장 효과적인 방법이기 때문이다. 이 방법은 좋은 점밖에 없다.

연기 연습을 할 때 동료와 함께 하는 것은 매우 중요하다. 하지만 항상 동료와 함께하기에는 제약이 따를 수 밖에 없다. 그렇기 때문에 스스로 녹화하고 스스로 피드백을 하는 것이다. 이 방법을 통해 평소의 좋지 않은 습관을 캐치하여 수정하고 배우로서 좋은 스탠스를 갖출 수 있다. 그중에서도 제일 효과를 보는 부분은 시선 처리이다. 처음 카메라를 앞에 두고 연습을 할 때면 어디를 보면서 연기를 해야 할지 모른다. 카메라에 대한 공간 감각이 부족해 시선 처리가 불안하고 어색한 본인을 보게 될 것이다. 그렇지만 카메라를 두고 연기한 후에 찍힌 영상을 보며 스스로 피드백하는 과정을 반복해 나가다 보면 카메라 앞에서 좀 더 자유로워진 자신을 볼 수 있을 것이다.

그리고 이 방법을 쓰면 본인의 연기에 자신감과 믿음이 생긴다. 물론 연습에 성실하게 임했을 때 이야기지만. 필자는 카메라에 담긴 녹화본을 처음 볼 때 영상을 보기 힘들 정도로 부족한 부분이 많이 보여서 연기를 그만 둘까 생각하기까지 했다. 하지만 꿋꿋이 하다 보니 점차 문제점이 개선되는 것이 보이기 시작했고, 나중에는 눈에 띄게 실력이 성장한 필자의 모습을 확인할 수 있었다. 이를 통해 연기에 대한 자신감이 생겼고 자연스레 나의 연기를 오롯이 믿을 수 있게 됐다.

지금까지 연습에 대한 필자의 가치관을 적어보았다.

*5분 인지 훈련법

앞서 언급한 5분 인지 훈련법에 대해 설명을 드리려 한다. 이름 그대로 5분 동안 내가 하는 모든 일을 인지하며 행하는 것이다. 예를 들어, 물컵을 집어든다고 하자. 먼저 시선이 물컵으로 갈 것이고, 그 다음에 오른손을 뻗고 물컵을 집을 것이다. 이런 자세한 행동과 머릿속에서 일어나는 생각들을 '무의식'에서 꺼내어 자의식으로 바꾸는 것이다. 이렇게 하루에 5분 동안 생활을 해보는 훈련법이 바로 '5분 인지 훈련법'이다.

처음엔 많이 어려울 것이다. 나도 모르게 인지하는 것을 까먹고 5분을 보내 버린다든지, 몸이 로봇처럼 삐걱인다든지. 하지만 이 훈련이 익숙해지고 나면 스스로가 무의식 속에서 어떻게 행동해 왔는지 알 수 있다. 즉 나에 대해 알 수 있게 되는 것이다. 또, 이 훈련 자체가 많은 집중력을 필요로 하다 보니 집중력도 자연스럽게 향상될 것이다. 필자는 덕을 많이 보았지만 독자분들께 어떤 영향을 끼칠지는 모르겠다. 그저 응원하겠다.

제 5 장

: 독 백 일 기

모든 대사는 장면 연기를 위해 존재하는 것이 아닌 소통을 하기 위한 것. 즉, 대사는 우리 삶처럼 교제를 위한 것이다.

제 5 장은 필자가 입대하고 나서 시작한, '어떻게 하면 연기를 더 재밌게 할 수 있을까?'라는 고민에서 출발한 독백 일기이다. 입대하고 나서 연기 연습을 할 때 필자가 중요하게 생각했던 점은 평소 시도해 보지 않은 접근 방식을 사용하여 연기를 개척해 나가는 것이었다. 밑져야 본전이라는 생각으로 정말 내가 하고 싶은 대로, 마음이 이끌리는 대로 연습을 했다. 좋은 경험이 됐다. 기존에 정해진 연기 방식의 틀 밖에서 놀아 보니 그 틀이 왜 만들어졌는지 이해할 수 있었고, 나의 좋은 점과 부족한 점을 배울 수 있었다. 앞으로 어떤 독백을 선정하고 어떤 장점을 부각해야 할지 그 방향성이 명확해진, 절대 후회 없는 귀중한 시간이었다.

하루에 4 시간씩 서는 상황병 근무, 일과를 다 하고 남는 자투리 시간, 훈련할 때까지 모든 순간에 모놀로그 연습을 하며 군에서의 시간을 허투루 쓰지 않으려고 노력했다. 지금까지 꾸준하게 달려온 필자 스스로를 격려하며 본문을 시작하겠다.

오늘도 수고했고, 내일도 수고할 텐데, 파이팅하자!

1) 국가 대표

S# 김포국제공항/ 낮 / 현태역: 하정우

(선수단 게이트로 걸어 나오는 팀원들. 밝은 표정이다. 여기저기서 터지기 시작하는 카메라 플래시. 팀원들을 바라보고 있는 현태. 순간 그의 시선에 낯익은 누군가가 보인다. 엄마다. 그녀는 용기가 없어서 그를 바라만 본다.)

다른 사람들이 다 말했잖아요. 나 정말 잘 컸으니까 나 보낸 기억 때문에, 그 기억 때문에 평생 아프면서 살지 말라구……. 나 행복하다구. 그런데 난 아니에요. 엄마 찾아가서 만나면, 나 왜 버렸냐고 당신 정말 나쁘다고 그 말 하려고 그렇게 찾았는데……. (눈물이 나는지 다른 곳을 보며) 아 아파트를 못 구했네……. 우리 엄마한테는 집 구해 가지고 가야 하는데……. (큰 소리로) 그러니까 엄마! 무조건 기다려! 내가 다음에 올림픽 나가서 금메달 따 가지고 올 테니까

국가대표 - 1 일차

먼저 천천히 읽어보았다. 아무래도 엄마와 나의 관계가 썩 좋지 않은 모양이다. 그럼에도 불구하고 가족은 가족이란 것일까…….애틋함이 보인다. 아마 나는 우리 엄마를 사랑하나 보다. 많이. 과연 엄마는 어떨까? 엄마는 나를 정말 사랑할까? 내가 국가대표가 되어 성공할 것 같으니 나를 찾은 게 아닐까? 의심이 마구 든다. 아니면 정말 내가 보고 싶어서 찾은 것일까. 아무렴 어때, 그녀가 어떤 이유에서 나를 찾아왔든 간에 내 마음이 변하지는 않는다. 엄마가 밉지만 그럼에도 불구하고 그녀를 사랑한다. 극 속의 나의 마음이 조금이나마 이해가 되는 것 같다. 중요한 점은 엄마가 나에게 어떤 존재인지. 벌써부터 틀을 좁힐 생각은 없으나 읽으며 이해하는 과정에서 마음속에 엄마에 대한 어리광이 느껴졌다. 이용해 볼 가치는 충분하다.

국가대표 - 2 일차

내가 서 있는 이곳, 그리고 우리 엄마를 상상해 보았다. 수많은 기자들과 사람들, 그 사이에서 마주친 '엄마와 나'. 나는 마주쳐서는 안 될 사람을 마주한 듯 어색하고 생각이 많아졌다. 엄마를 원망하는 마음도 들지만 마음 한켠에서는 엄마가 나를 완전히 버린 것은 아니라는 안도감도 들었다. 지금만큼은 무슨 말을 해도 엄마가 다시 떠나지 않을 것 같은 확신에 어리광 피우듯 행동했다. 오늘은 인물 분석과 '나'를 접목하는 과정 속에서 나의 심정을 느껴보았다. 아직 이 인물의 마음을 다 알진 못했지만 하나는 확실하게 느꼈다.

"나는 아들이다."

국가대표 - 3 일차

오늘은 소리 내어 리딩을 했다. 그저 엄마에게 나의 이야기를 전해주었다. 덤덤하게. 이내 엄마는 눈물을 터트렸다. 미안함과 죄책감, 그 이상의 짐을 진 엄마의 표정. 그걸 보는 나도 울음을 참기 힘들었다. 하지만 힘들게 만난 엄마와 흐느끼면서 시간을 보내기는 싫었다. 턱 끝까지 차오르는 복잡한 감정을 삼켜냈다. 이 모든 것은 나도 모르게 일어난 일이다. 처음 엄마를 보았을 때는 원망스러운 마음이 너무나도 컸다. 그래서 엄마는 정말 나쁘다고 소리지르고 그 이상의 나쁜 말들을, 상처가 되는 말들을 해주고 싶었는데 막상 엄마를 마주하니 마음이 미어진다. 오늘은 리딩만 하려 했지만 충동이 나에게 강렬하게 느껴졌다. 나 역시도 더 자유롭게 느끼기 위해서 상황에 몸을 던졌다. 이것이 내가 원하는 연기이다. 즐겁다!

국가대표 - 4 일차

나 자신에게 실망스럽다. 지난번의 연기가 너무 좋았는지 나도 모르게 지난 연기의 감각을 찾으려고 하고 있었다. 그러다 보니 억지로 인위적인 호흡을 만들며 내가 만든 틀에 내가 갇혀버렸다.

그래서 대본의 분위기를 바꿨다. 지금까지 엄마는 원망의 대상이자 내가 사랑하는 사람이었지만, 틀을 깨부수기 위해 엄마를 반가움의 대상, 애틋함의 대상으로 바꿔버렸다. 그 결과 진짜 우리 엄마가 겹쳐 보였다. 지금의 나에게 엄마는 반가움과 애틋함의 대상인가 보다……. 갑자기 엄마가 보고 싶네……. 역시 나는 극에서도 현실에서도 엄마의 아들인가 보다.

이제 갇힌 틀에서도 벗어났으니 진실함에 가까워질 수 있도록 스스로 솔직한 배우가 되어야겠다.

국가대표 - 5 일차

'대화', 인물 간의 상호작용. 액션, 리액션, 충동. 솔직한 진심. 그리고 엄마. 나는 아들. 이렇게 이 모놀로그의 끝을 보았다. 물론 오만한 생각이다. 연기에 끝이 어디 있다고. 하지만 나는 엄마를 보며 나의 진심을 다했다. 후련했다. 내 연기가 기억이 나지 않는다. 재밌다. 그리고 이 일기를 쓰던 중 하나를 더 깨달았다. 연기는 결과의 예술이 아닌 과정의 예술이라고. 연기가 자신과의 싸움이란 것을 인정하고, 스스로 발전이 있었다면 결과가 어떻든 과정을 사랑하자고. 물론 발전이 없다면 과감하게 스스로를 혹사 시킬 생각이다. 지금 내가 이 글을 쓰고 있는 순간에도 밖에서 뼈를 깎는 노력을 하는 배우들이 있다. 절대 포기하지 않을 것이고 지지 않을 것이다.

국가대표 - 6 일차

항상 여유를 가지자. 세상에 머리와 가슴을 거치지 않고 가는 말은 없으니 조급할 것 없이 충동을 느끼며 연기하자. 제일 좋은 상태는 Empty box. 즉 아무것도 없는 백지 상태에서 배우고 녹아드는 것. 나에게 집중시키는. 공기를 달리하는 무게를 가진 배우됨이 필요하다.

국가대표 - END

첫 독백이었던 만큼 아직 부족한 부분이 많이 보였다. 하지만 꾸준하게 써 내려가다 보면 부족한 부분은 채워지고 나의 약점이 또 다른 강점으로 바뀔 거라는 확신이 든다. 물론 제일 큰 문제점은 제대로 연습할 공간과 시간이 부족하다는 것이지만 부지런히 대책을 강구해보자! 이번 모놀로그에서는 세밀한 상상, 즉, 상대방의 표정과 목소리, 그에 따른 충동을 집중적으로 파 보았던 것 같다. 여기에는 적지 않았지만 상황을 구축하고 인물을 그려 본 뒤 목소리나 주변의 움직임 등 세세한 것까지 몇 시간을 들여 그려나갔다. 힘들었지만 나름 낭만이 있었다.

2) 용서는 없다

S# 경찰서 유치장 면담실/ 밤 / 이성호역: 류승범

(이성호는 강 교수가 과거 자신의 누이와 아버지를 죽게 만든 사건에 대해 복수할 길을 찾고 있다.)

(정말 기억이 안 난다는 듯이) 기억이 안 나요. 어릴 때 제일 친했던 고향 친구가 어느 날부터 저를 피하기 시작하는 거예요. 왜 그러냐고 물어봤더니 그 친구가 화를 내더군요. 어떻게 기억이 나질 않냐고. 나의 행동 때문에 자기가 얼마나 괴로웠는지 아냐고……. 한참이 지난 후에 내가 그 친구 강아지한테 닭고기를 줬던 기억이 났어요. 강아지가 그걸 먹다 목에 걸려 죽어 버린 거죠. 그 강아지를 무척이나 좋아했었죠. 사람 기억이란 게 참 이상해요, 그쵸? 그 친구한텐 분명 큰 건이지만 난 아무 기억도 못하는 거예요. 그래서 범행 도구가 어디 있느냐가 중요한 게 아니에요. 중요한 건 내가 왜 오은아를 죽였느냐는 거죠

용서는 없다 - 1 일차

이 대사는 딱 오디션 맞춤 모놀로그라는 생각이든다. 나에게 말하는 건가? 하는 착각을 줄 정도로 자연스러운 대사로 시작하기에 이목을 집중시키기에 좋아 보이고, 글로 읽기만 해도 느껴지는 휘몰아치는 충동과 극적인 상황이 느껴지는 독백이기 때문이다. 그렇기 때문에 이번 대사를 연습하면서는 나로서의 연기법을 최대한 활용해야겠다. 하지만 고민이 있다. 상황상 나는 한 아이의 아버지이고 내 딸은 강 교수에게 죽었다. 그 아픔과 분노를 감히 내가 이해할 수 있을까. 아니, 함부로 연기를 할 수가 있을까. 나의 일상에서는 감당하기 어려운 극단적인 상황이다. 이것을 진짜로 경험하고 자연스러운 충동을 기대하긴 힘들 테다. 이 독백 연습을 통해 해답을 찾아보자.

용서는 없다 - 2 일차

나의 말이 자연스럽게 나오게 하기 위해서 일상에서부터 연습을 하기로 했다. 내 이야기로 만들기 위해서 선임과 대화하다가 대사를 읊어 보기도 했다. 대사를 읊은 뒤 선임에게 내 심정이 어때 보이냐고 물어봤다. 그런 이야기를 아무렇지 않게 해서 사이코 같다는 말을 많이 들었고, 그 뒤 상황 설명을 하자 체념한 것처럼 보인다, 과거의 일들을 이용해 이 상황을 '즐기는' 것처럼 보인다는 이야기도 들었다. 맞다. 즐기고 있다. 슬픔과 분노, 복수심보다는 상황적으로 내가 우위에 있다는 점에서 우월감을 느끼고 있다는 표현이 맞을 것 같다. 한마디 한마디 강 교수에게 말을 뱉을 때마다 그의 표정을 살폈다. 가슴속에서 말로는 표현하기 힘든 뜨거운 감정, 격렬한 운동 뒤에 근육의 고통을 즐기는 느낌……, 그런 것이 마구 올라왔다.

용서는 없다 - 3 일차

강 교수가 나를 보며 분노한다. 왜 화를 내는 거지. 오은아를 죽여서? 아니면 예전에 나까지 죽이지 못해서? 혹은 자신의 명예에 해가 될 것 같아서? 뭐가 됐든 나는 상관하지 않는다. 그가 내 말에 고통스러워 하자 내가 이겼다는 우월감이 든다. 감정이 격해지는, 그걸 숨기지 못하는 얼굴을 보니 어떤 고통을 더 줘야 할지 고민이 된다. 이 대사를 통해서만 그와 대화할 수 있어 아쉬울 따름이다.

나는 이 인물이 너무 마음에 든다. 굳이 나를 애써 숨길 필요가 없다. 더 느끼고 강 교수의 리액션을 더 가지고 놀고 자유롭게 느껴보자.

용서는 없다 - 4 일차

연기를 하다 보니 나 스스로가 혐오스러워진다. 나도 결국 강 교수와 다를 것 없는, 내가 그렇게 증오했던 인간이랑 똑같은 인간이 되어 버렸구나 하고 자각했기 때문이다. 하지만 이런 자각은 박미새로서의 자각이기 때문에 죄책감이나 자책은 할 필요가 없어 보인다. 하지만 내가 걱정하는 것은 이런 상황을 받아들이는 사이코같은 성향의 모습이 또 다른 나로서 존재한다면, 하는 것이다. 어떻게 받아들여야 할지 모르겠다. 나만의 이성호라면……. 내가 이성호라면…….

용서는 없다 - 5 일차

연기를 하며 내내 찝찝함을 느꼈다. 그래서 혼자 계속 생각해 보았다. 그 결과, 해답을 찾았지만 동시에 찾지 못했다. 우선 내가 찾은 해답은 '용서'해 주는 것이다. 여기까지는 박미새의 해답이다.

하지만 이상호로서의 해답은 '불용'이다. 나는 이제 일상적인 행복을 찾을 수가 없다. 그렇기에 그가 더 고통스럽고 불행해야 심적으로 편안해진다. 또한 그래야 나 자신도 납득이 가는 연기를 할 수 있다. 그것이 나의 정의이기 때문에. 연기를 하며 내가 느꼈던 찝찝함은 아마 현실에서의 '나'와 이상호로서의 '나' 사이에 괴리감 때문이었던 것 같다. 이것으로 나와 이상호 간에 타협점을 찾았다. '용서는 없다'에서 나의 캐릭터는 만들어졌다. 이것이 연기하는 즐거움이 아닐까 싶다.

용서는 없다 - 6 일차

욕심이 난다. 더 잘하고 싶다. 하지만 그런 마음을 가지면 가질수록 진실한 연기를 하는 것과 멀어진다는 것을 알기에 최대한 비우려고 한다. 특히 마지막으로 하는 나의 말. "내가 왜 오은아를 죽였느냐는 거죠." 이 부분. 보여지는 이들로 하여금 더 임팩트 있는 장면이 되도록 가져가고 싶다. 방법이 없을까……. 음음……. 이제는 관객의 시선에서 극을 바라 볼 필요가 있을 것 같다. 내가 아무리 진실한 연기를 한다고 한들 그들의 시선에서 납득이 되지 않는다면 그 연기는 사형 선고와 같기 때문이다. 아니, 연기는 정말 정답이 없이 어렵단 말이지…….

용서는 없다 - END

소통하는 배우. 이번 '용서가 없다'에서는 인물을 사실적으로 상상하여 실제로 앞에 사람이 있는 것처럼 소통하고 상황에 녹아들기 위해 노력했다. 강 교수와 호흡을 나누려고 노력했다. 현 상황에서 누군가와 함께 연기하는 것은 불가능하기에 스스로 카메라로 찍어 혼자 연기하는 것을 경계했고, 상대방이 느껴지는 충동을 그대로 받아들이고 연기하면서 나로 인해 인물들과 상황이 '존재'하기를 원했다. 물론 100% 만족하진 않는다. 하지만 내가 원하는 수준에 가깝게 도달한 것 같아서 이번 일주일이 전혀 아깝지 않았다. 꾸준히 노력해서 차근차근 얻어 갈 수만 있다면 나는 기록을 멈추지 않으리.

3) 너는 내 운명

S# 메밀 꽃 밭/ 낮 / 석중역: 황정민

(착하고 순박한 노총각 석중. 효자이며 성실한 그지만 시골로 시집 오겠다는 여자가 없다. 결혼을 위해 필리핀까지 원정 갔던 것을 친구에게 자랑하듯이 말하지만 마음이 좋지는 않다.)

아무튼 그래서 딱 필리핀 공항에 딱! 내렸는데. 기분이 좋더라구-- 내가 무슨 금메달 따 가지구-- 그래 개선 장군! 목에 막 화환 걸구-- 응? 뭐라구? 필리핀 말?(말을 돌리며) 근데 와 진짜 너두 알잖냐. 내 스타일.. 미치겠더라구-- 근데 재호 여자는 좀 괜찮더라구. 에밀린가. 에휴, 너 아니면 내가 이런 이야길 누구한테 하겠냐. 말두 한개도 못 알아듣구, 쏼라쏼라 거리는데 내가 필리핀까지 와서 뭐하나 싶더라고. 내가 미쳤지. 죽을 때까지 결혼 못해도 응? 안 하믄 안 했지 사는 데 지장 없잖아? (흥분해서) 왜?! 내가 한심해?!

너는 내 운명 - 1 일차

석중이라는 역은 착하고 순박한 노총각……, 이거 완전 나잖아? 착하고 순박하고 사랑을 갈구하는, 더해서 사랑을 하고 싶어도 못 하는……. 벌써부터 석중이라는 역할에 마음이 마구 가기 시작한다. 인물에 동질감을 느껴본 것은 처음인 것 같다. 석중이라는 캐릭터를 한번 커스터마이징해 볼 것이다. 이 인물의 키는 169cm. 외모는 시골 청년 느낌. 보통에서 보통 이하. 하지만 웃는 모습이 매력적인 청년. 항상 자신감 있는 모습과 당차고 긍정적인 모습을 보이고 있으나 속으로는 남 눈치를 많이 보며 위축되어 있다. 겉과는 상반된 여린 속을 가지고 있음. 맞다, 이건 그냥 나다. 하지만 여기에서 재밌는 요소를 추가 할 것이다. (바로 '카사노바', 아주 능숙한 사랑꾼이었지만 최근 빈번히 실패를 겪고 있는 사냥꾼이라는 설정을.)

너는 내 운명 - 2 일차

우선 역할 숙지를 위해 많이 읽어 보았다. 내가 하는 말 중에 가장 진심으로 한 말과 마음에도 없는 말을 가려 보았다.

"너 아니면 내가 이런 얘길 누구한테 하겠냐." "안 하믄 안 했지, 사는 데 지장 없잖아?" 각각 진심으로 한 말과 그렇지 않은 말이다. 읽기만 했는데도 보는 이의 마음이 아프다. 저 말을 하는 본인은 오죽했을까. 심적으로 많이 지쳐 있었을 것이다. 물론 어디까지나 보는 입장에서 그렇다는 것이다. 말하는 인물의 입장에서는 무의식적으로, 충동적으로 나온 말일 수 있다. 그러니 관객의 입장에서 섣부르게 판단하지 말고, 내가 석중이가 되어 그를 위로해 보겠다. 나 아니면 석중이의 마음을 알아주고 이런 이야기를 들어줄 사람이 누가 있겠는가.

너는 내 운명 - 3 일차

외롭다. 다른 친구들이 연애하는 걸, 결혼하는 걸 보고 있자니 부럽다. 그런데 남과 비교해서 나를 보면 부끄러울 뿐이다. 뭐 세상엔 운명적 만남이라는 것도 있으니 기다리다 보면 만나지 않을까, 그런 생각을 하면서 복잡한 심경을 달래보려 하지만 모래성처럼 금방 무너져 내린다. 답답하다. 이런 보잘것 없어 보이는 내 상태를 아무한테도 들키고 싶지 않다. 그러면서 또 한편으로는 내 문제가 무엇인지 아무나 붙잡고 물어보고도 싶다. 나 정도면 진짜 괜찮은 남자인데 뭐가 문제지. 그 높았던 자존감도 위험하다. 거울을 봐도 스스로가 마음에 들지 않는다. 자기 전에 침대에 누우면 조급함은 점점 더 커져만 간다. 사랑하는 여자와 손을 잡고 데이트를 하고, 아침에 일어나서 같이 밥을 먹는 행복한 미래의 희망을 상상할수록.

너는 내 운명 - 4 일차

위스퍼 리딩을 했다. 말 그대로 속삭이면서 연기하는 방식이다. 이 연습법을 사용하면 솔직한 충동(표정, 리액션 등)이 잘 나오고 무엇보다도 무의식 속의 마음이 밑도 있게 연기에 묻어나 온다. 그래서 이번 모놀로그도 대사를 입에 붙이기 위해 이 방법을 사용했다. 여담으로, 이 방법을 자주 사용하여 이제는 어떤 대사가 주어져도 내 말로 안정적인 연기를 할 수 있다는 자신감 생겼다.

이 대사를 연기할 때 나만의 재치가 묻어 나오게 하면 재미있을 것 같다. 이것을 말로서 표현할지 리액팅으로 표현할지 그것은 아직 모르겠다. 연기를 하기 전에 몇 가지 준비해 보고 결정해야겠다.

너는 내 운명 - 5 일차

내가 느꼈으면 하는 메모리의 충동이 있다. 엄청 쪽팔리고 기억하기 싫은, 상상만 해도 닭살이 돋고 뒷통수가 찌릿해지는 그런 극단적인 충동을 말이다. 하지만 연기할 때 그런 충동이 느껴지지 않는다. 아직 석중이의 마음에 온전히 공감하지 못하고 있는 것일까, 아니면 내가 이 상황에 집중하지 못하고 있는 것일까. 아무리 생각해도 이상하다. 내가 이 상황이었으면 분명히 느꼈을 충동인데 느껴지지 않으니. 그렇다고 인위적으로 그런 충동을 느낀 척 하기에는 스스로 용납할 수가 없다……. 일단 마음속에 여유를 가지고 또 다른 진실함을 찾아서 마음껏 탐험해 보자.

너는 내 운명 - 6 일차

어제의 걱정은 조바심에서 생겨난 기우였던 것일까. 연습을 계속 하다 보니 내 몸에 체화가 되어 연기 자체는 편하고 안정감 있다. 딱 그 정도다. 나만의 재치가 보일 수 있도록 평소 일상에서 자주 사용하던 호흡이나 제스처를 사용해봤지만 이게 매력적으로 보일지는 모르겠다. 카메라 없이 연기 연습을 하면 내 부족한 부분을 정확히 체크를 할 수가 없어서 어려운 것 같다. 불편해…….

너는 내 운명 - END

솔직히 처음에 기대했던 것보다 완성도는 낮았다. 내가 아직 부족한 점이 많다는 증거다. 이 캐릭터가 나와 어딘가 닮아 있다는 이유로 인물을 이기적으로 분석한 나의 실수라고 할 수 있다. 하지만 이 독백 자체는 나의 시골 청년의 이미지를 이용할 수 있는 좋은 무기이기에 긍정적으로 생각하면 나름 수확이 있었다고 할 수 있다.

그리고 인위적인 연기, '척'하는 연기에 대하여 다시 생각해 보아야겠다.

4) 여자, 정혜

S# 햄버거 가게/ 낮 / 정혜 전남편역: 박성웅

(어린 시절 성폭행을 당한 정혜, 그 사실을 모르는 전남편은 첫날밤을 보낸 후 무심한 말로 정혜에게 상처를 주었고 정혜는 이유도 말하지 않은 채 떠났다.)

어……. 전화번호가 아직 그대로일 줄 몰랐다. 나 있잖아, 다음 달에 결혼해. 놀랐어? 너한데 얘기 해주는 게 도리일 것 같아서. 나……. 너 때문에 마음 많이 상했었다. 그거 생각하면 내가 이럴 필요까지 있을까 싶었는데, 뭐, 지난 일은 지난 일이고 나쁜 감정 가지고 있어 봐야 서로 좋을 거 없잖아? (쓴웃음을 지으며) 이렇게 널 다시 보니까 참……. 도대체 무슨 생각으로 그랬어?(담담하게) 내가 뭘 어쨌다고. 난 아직도 이해가 안 가. 무슨 말이라고……. 뭐 정 할 말 없으면 변명이라도 만들었어야 되는 거 아냐? 응?

여자, 정혜 - 1 일차

이번에는 조금 독특한 방식으로 모놀로그를 시작해 보았다. 상황 인지와 최소한의 대사로 연기를 해보는 것이다. 지금 대사가 맞거나 틀리거나 하는 것은 중요한 것이 아니다. 대략적인 흐름과 한두 대사만으로 이 상황에 몰입해 마무리 하는 방식이다.상황: 잠수 이별을 고한 전 아내와의 대화/ 대사: "전화번호가 아직도 그대로일 줄은 몰랐다." 처음엔 대사를 하고 나서 말을 어떻게 지어내야 할지, 아니면 이어서 해야 할지 전혀 알 수 없어 벽에 가로막힌 기분이 들었다. 그래서 상황이 이상한 방향으로 흘러가기도 하였다. 시행착오의 결과로 말에 집중하기보다는 내가 처한 상황과 공간 자체에 몰입을 해야 한다는 결론을 냈다. 무인도처럼 아무 힌트도 없는 상황 속에서 살아남아야 했기에 더없이 솔직한 '나로서' 연기를 할 수 있었다. 연기 전 최고의 워밍업 방식을 찾은 것 같다.

여자, 정혜 - 2 일차

대사를 읽어보았다. 다소 충격적이랄까, 나와는 너무 다른 방식의 대화를 나누고 있었다. 나는 아무 이유 없이 잠수 이별을 당했다는 것에 초점을 맞춰 대화를 이어 갔는데 본래 대사를 보니 오히려 담담히 말하려 하고 있었다. 어른스러운 대화였다. 내가 했던 대화는 정혜를 비꼬기도 하고 다소 불편한 분위기가 형성되도록 이끈 '어린' 대화였는데 말이다. 이렇게 나를 또 알아 간다. 그리고 이번 독백에서는 내 안에 있는 또 다른 성숙한 '나'를 연기해야 한다는 것을 알았다. 먼저 순간적으로 들어오는 생각들을 억지로라도 성숙하게 만들 필요가 있다. 지금의 '나'는 정혜가 나에게 상처를 준 만큼 말로 되돌려 준다는 의지를 담았는데, 이를 좀 더 성숙하게 고쳐야 한다. 차근히 이유를 들어본다든지 그런…….

여자, 정혜 - 3 일차

아, 내가 너무 성급했다. 생각해 보니 '사랑'이란 감정은 무엇이고 '사랑했던 사람'은 어떤 의미일지 나는 모른다. 결론적으로 나는 어디선가 주워 들은 '잠수 이별'은 '나쁜 것'이라는 스스로의 이기적인 판단 아래 그저 느낌으로 연기한 것밖에 되지 않는다. 진실한 연기일수록 명확한 연기를 추구해야 하는 것은 기본 중에 기본인데……. 물론 모든 연기를 경험으로 할 수 없는 것은 당연하다. 하지만 책을 읽거나 남의 이야기를 듣는 등 간접적인 것을 습득하는 것은 나의 진실한 연기와 거리가 멀어지는 행동이다. 솔직히 독백 자체는 어려운 대사가 아니다. 그러니 이번 기회에 나의 '사랑'을 생각해 봐야겠다. 박미새에게 사랑이란.

여자, 정혜 - 4 일차

'사랑'을 지금 당장 경험할 수는 없는 노릇. 그래서 닥치는 대로 간접 경험을 해보았다. 영화나 드라마를 보거나 주변에 물어보기도 하고, 너무 답답한 나머지 '사랑이 무엇인지는 사랑에게 물어봐야지!'라며 사랑이라는 이름을 가진 이에게 사랑이 뭐냐고 물어보는 미친 짓도 했다. 그렇게 나만의 사랑 찾기 일주일 째, 결론을 내렸다. 나에게 사랑은 '고통'이다. 매운 맛과 비슷한 느낌. 매운 맛은 다른 맛들, 쓴 맛, 단 맛, 짠 맛처럼 감각에 해당하지 않는다. 이처럼 사랑은 '감정'이 아닌 '고통'이라는 것이다. 고통이라고 해서 마냥 나쁜 것도 아니다. 음식에 매운 맛이 들어가면 음식의 풍미가 살아나듯 인생에 사랑이 첨가되면 삶에도 생기가 돋는다. 과하면 큰 고통이 따르지만 적당하면 더할 나위 없이 좋은 고통이랄까.

여자, 정혜 - 5 일차

정혜를 보니 반갑긴 해도 달갑지는 않았다. 그래도 마주 할 때는 어색한 티를 전혀 내지 않았다. 그럼에도 숨길 수 없는 어색함이 있었나 보다. 자리가 불편하다. 어쨌든 마음을 가다듬으며 대화를 이어 갔다. 정혜가 밉고 화가 난 것은 과거의 일이고 지금은 다른 사랑하는 사람을 만났다. 내 아픔을 어루만져 준 사람을 만났기에 오히려 그런 귀인을 만나게 해준 정혜에게 고맙기도 하다. 그래도 이번 만남을 통해 정혜가 왜 그런 이별을 할 수 밖에 없었는지 그 이유를 들었다. 알고 나니 억울한 마음이 들기도 하고 후련한 마음이 들기도 한다. 솔직히 어떤 이유를 듣든 간에 화가 날 줄 알았는데, 막상 정혜를 마주하니 이해를 해주고 있는 내 자신이 웃기다.

여자, 정혜 - 6 일차

이제 다른 사람 앞에서 너무 연기가 하고 싶다. 떨림을 느껴 보고 싶다. 인정 받고 싶다. 오디션을 보고 싶다. 현장의 열기를 느끼고 싶다. 연습을 거듭할 수록 나의 현 위치가 어디인지 너무 궁금하고 요새의 트렌드가 너무 궁금하다. 남이 연기하는 것도 보고 싶다. 이런 막연한 생각을 하면 할수록 내가 전역하고 나서도 잘할 수 있을까, 인정받지 못하면 어쩌나 하는 두려움이 생긴다. 그래도 세상과 부딪혀 보고 싶다. 이런 기다림을 욕심이라고 한다면 똑똑한 욕심쟁이가 되겠다. 기다림 속에서도 내 할 일을 하면서 끝내 성공하는 욕심쟁이가 되겠다.

여자, 정혜 - END

상황을 오롯이 믿고, 나를 믿고, 상대를 오롯이 믿는 것. 아직 멀었다. 오만 떨지 말자.

5) 광식이 동생, 광태

S# 광식, 광태의 집 / 밤 / 광태 역 : 봉태규

(광태가 형 광식에게 말한다.)

형아야, 나 고백할 게 있다. 지난 달에 형아 카드 몰래 들고 나가서 클럽에서 100 만 원 그었다. 명세서에 인터페이스라고 나오면 내가 그런 줄 알아라. 그리고 또 하나 있다. 인터페이스 100 만 원에 비하면 아주 경미한 사안일 수 있는데……. 뭐냐면……. 전에 발렌타인데이 때 윤경 씨가 형한테 전해 주라고 한 초콜릿을 내가 취해서 일웅이한테 잘못 줘버렸다. 근데.. 변명같지만 내 그런 실수 때문에 될 게 안 되고 안 될게 되고 그건 아닐 거다. 설마 인연이란 게 그딴 식으로 허술할까.

…….

암튼 난 고백한 거다!! 내 죄 사해진 거야!!

광식이 동생, 광태 - 1 일차

재밌다. 이 모놀로그가 재미있다기보다는 이 연기를 하고 있는 나를 상상하니 재미있다는 것이다. 내가 평소에 쓰는 화술과 말을 하는 방식, 극의 분위기와 흐름. 이런 대화를 자주 주도하기 때문에 읽기만 해도 웃음이 나온다. 이렇게 보니 내가 평소에 좀 찌질해 보이는 대화를 했나 보다. 그래도 이런 점이 나의 재치가 아닌가 싶다. 그래서 이번 모놀로그로 나의 '매력'을 발휘해 볼까 한다. 그중에서도 바보 같은 모습 속에 숨어 있는 여우 같은 매력과 누군가의 동생으로서의 나의 재치를 광태로서 녹여보겠다.

광식이 동생, 광태 - 2 일차

나는 사람마다 고유의 '색'이 있다고 생각한다. 여기서 말하는 '색'은 비유의 표현이 아니다. 그 사람을 봤을 때 직감적으로 떠오르는 'Color'를 말하는 것이다. 나는 이 색을 상황에 맞춰 '재치'라고 말하기도 하고 '매력'이라고 부르기도 한다. 그리고 배우라면 나의 고유의 색을 발전시키는 것은 물론이요, 다른 색을 첨가하고 제거할 줄도 알아야 한다고 생각한다. 물론 내가 어떤 역할을 하든 나의 고유의 '색'을 0 으로 만들고 그 위에 다른 색을 입히는 것은 불가능하다. 다만 내가 가진 색을 스스로 알고 어떤 색을 섞어야 어울릴지 가늠해볼 필요가 있다는 것이다. 지금 나의 색은 조금 짙은 '초록색', 광태는 때묻지 않은 '노란색'이다. 과연 내가 광태가 되었을 때 어떤 '파란색'이 나올지 기대가 된다.

광식이 동생, 광태 - 3 일차

광태는 참 간이 큰 인물인 것 같다. 두 가지 의미로 그렇다. 클럽에서 형 카드로 100 만원을 긁어버린 대담함과, 일웅이 형에게 초콜릿을 잘못 전해 주었던 천인공노할 잘못을 고백하는 용기……. 나라면 절대 말하지 못했을 것 같다. 그래서 이 잘못을 고백하는 데에 어떤 계기가 있었을 것 같았다. 그 계기를 위해 나는 '형이 이 사실을 알고 있었다.'는 인위의 상황을 부여했다. 무서운 형이 먼저 말을 꺼내기 전에 내가 먼저 선수를 쳐서 용서를 구하는 상황을 설정한 것이다. 그렇게 하면 내가 나로서 연기를 할 때 스스로 쉽게 납득될 것 같기 때문이다. 휴, 상황 구축만 해보았는데도 대대장님 방에 들어간 기분이다. 온몸의 털이 쭈뼛쭈뼛서는 기분이다. 참 간 큰 녀석…….

광식이 동생, 광태 - 4 일차

오늘은 같은 생활관 선임인 호준이 형한테 이 대사를 써 보았는데 먹혔다. 그런데 대사를 하던 중 갑자기 머리가 하얗게 변하더니 대사가 기억나지 않았다. 그래서 고민했다. 왜 기억이 안 나고 머리가 하얗게 됐을까……. 그 답은 내가 평소와 다르게 말했기 때문이었다. 이게 무슨 말이냐. 평소 말이 나오는 머릿속의 작용 순서를 곰곰이 생각해 보았다. '말'을 할 때는 대사처럼 다음 말을 정해 놓지 않는다. 특별한 이유가 있지 않은 이상 '순간'동안 목적을 생각하고 그것을 해결하기 위해서 '무의식'속에서 말이 나오기 때문이다. 말 역시도 충동이라는 것이다. 즉, 내가 호준이 형한테 말하면서 머리가 하얗게 된 이유는 형과 '대화'를 해야 하는데 '대사'를 했기 때문이라고 할 수 있다. '대화'를 하는 배우가 되자.

광식이 동생, 광태 - 5 일차

오늘은 그냥 미쳤다. 내가 마치 광태가 된 느낌이 들었다. 연기가 끝난 후 어떤 연기를 했는지 기억이 나지 않는 이 느낌. 내가 제일 좋아하는 느낌이다. 만족스럽다. 내가 원하는 파란색이 예쁘게 잘 나온 것 같다. 그 비결이 뭐냐고 물으면 나는 연기할 때 '광태'의 생각을 했기 때문이라고 자신 있게 말할 수 있다. 대사를 해야겠다는 생각보다 그저 상상을 통해 스스로 극에 스며드는 시간을 추우우우우웅분히 가지고 충동을 몸과 마음으로 다 느꼈다. 그러고 나서 내가 "형아야……" 라고 형을 부를 준비가 됐을 때 시작을 했다. 부르고 나니 순간 되레 겁이 났다. 그 뒤로 어떤 충동이 들었는지 기억은 잘 나지 않지만 형의 리액션에 따라 나의 생각의 고리가 꼬리에 꼬리를 물면서 나만의 광태가, 파란색의 광태가 되었다.

광식이 동생, 광태 - 6 일차

게을러 빠져서 연습을 안 했다……. 미친놈…….

'하루 정도는 쉬어도 되지'라는 안일한 생각이 나를 게으르게 만들었다. 죽어…….

이제 이 페이지를 볼 때 마다 팔굽혀펴기, 윗몸 일으키기 50 개 씩 3 세트 하자…….

미래의 나야 미안해……. 내가 게을러서 성장이 하루치 늦어져서…….

광식이 동생, 광태 - END

능글맞게 놀기 좋은, 내가 하면서도 재미있었던 모놀로그였다. 연습하면서 인물의 '생각'이라는 것을 다시 생각하는 계기가 되었다. 나의 색이 묻어 나오는 '진실함'의 연기를 찾아 보게 된 도전적인 독백이었다고 말할 수 있을 것 같다.

무언가 잘못해서 뜨끔한 상태, 그리고 그 고백을 듣고 있는 형의 모습을 잘 리액팅 할 수 있었던 이유는 내가 지금 군 생활을 하면서 자주 겪었던 상황이었기 때문이다. 그렇기에 짧은 준비 시간에도 불구하고 조금 더 내 것처럼 편하게 연기할 수 있었던 것 같다. 그래도 항상 명심하자. 모든 연기를 나의 경험에 빗대어, 내 이야기에 빗대어 할 수만은 없다는 것을.

6) 연애의 목적

S# 실내 / 오후 / 유림역: 박해일

너 아직도 못 잊어서 질질 짜고 있니? 그게 아직 감정이 남았다는 거야. 너 아직도 걔 좋아하지? 못 잊지? 그래서 그 그림도 걸어둔 거지? 녹음까지 해둔 거 보니까 아주 영원히 간직하려 그랬나 봐? 돈 얘긴 아예 꺼내지도 않던데? (홍을 흉내 내며) 선배--, 진심이 알고 싶어-. 순진심, 사랑 타령이나 하고 있고. 그냥 네가 한심해서. 내가 뭐 잘못했어? 네가 그래 보여서 그러는 거야. 그런 새끼한테 당해서 사랑이 있네, 없네 어쩌고 하는 게 우습고, 못 잊어서 질질 짜는 게 가엾어서. 그렇지 않으면 왜 울어? 씨발, 어디서 뺨 맞구 괜히 만만한 나한테 화풀이야. 이 새끼한테 직접 가서 그래. 직접 가서 양아치 새끼라고 얘기해 보라고! 내가 왜 이러는지 몰라서 그래? 가슴 아파서 그래. 네가 그 상처를 빨리 잊었으면 해서 그래. 상처를 아예 잘라버리고 싶어서 그래.

연애의 목적 - 1 일차

보자마자 상황이 너무 이해가 된다. 내가 좋아하는 사람이 본인의 연애 문제 때문에 나한테 매일 상담하고, 나는 티내지 않지만 속으로는 매일을 곪아가고 있다. 그 남자는 아무리 봐도 너무 아닌데 내가 좋아하는 여자는 계속 아파한다. 헤어지라고 하면 '정말 그래야지' 했으면서 며칠 후에 인스타 스토리를 보면 다시 사귀고 있고, 며칠 뒤에 울고불면서 다시 전화가 오고. 그 반복. 내가 그렇게라도 그녀의 곁에 머물러주면 나를 한 번쯤은 봐주지 않을까, 기대하지만 나를 봐주지 않는 그녀에게 원망이 생기고 지쳐 버리는 상황. 내가 본인을 좋아하고 있다는 것을 뻔히 다 알면서……. 그녀가 좋으면서도 원망스러운, 정말 미운 이 마음. 너무나 잘 알고 공감하고 있다.

연애의 목적 - 2 일차

또 다시 반복된 상황에 나는 "너 아직도 못 잊어서 질질 짜고 있니?" 라는 말을 한다. 이 말을 하는 너의 심정은 어떻니? 묻는다.

곪을 대로 곪아 버렸어. 나도 정말 힘들다. 전처럼 예쁘게 말하면서 이야기를 들어 주고 싶은데 지금 홍을 보면 밉고 짜증이 나. 내가 저 남자보다 더 잘해 줄 수 있는데. 상처받지 않게, 행복하게 해줄 수 있는데. 그럼에도 지금 당장은 홍이가 밉다는 충동이 절대적이야. 왜 내 맘을 몰라주는 걸까…….

연애의 목적 - 3 일차

사람이 제일 힘들 때가 사랑할 때인가 보다. 역시 나에게 사랑은 '고통'. 매운맛처럼, 삶에 적당하게 첨가한다면 풍미가 살게 해주지만 과하면 큰 고통으로 돌아오는 그런…….

나는 왜 나를 그렇게 힘들게 했던 그녀에게 하고 싶은 말을 유림처럼 쏟아내지 못하고 혼자 속으로만 아파했을까. 유림의 입을 빌려서 내가 할 수 없었던, 하고 싶었던 말과 그 마음을 담아 상황을 연기해 보자.

연애의 목적 -4 일차

요즘 연기를 할 때마다 드는 고민이 있다. 아우라라고 해야 할까? 잘하는 프로 배우들의 연기를 보면 뭔가 느껴지는 것이 있다. 내가 생각하는 '색'과는 뭔가 이질적인 다름이다. 나도 과연 가지고 있을까? '아우라'라는 것을. 멋진 척, 무언가 숨기고 있는 척하면 아우라가 있어 보이는 건가……. 아니면 나이가 들면 자연스레 가질 수 있는 것인가. 프로 배우들을 보면 스스로 증명하지 않아도 아우라가 그냥 보인다. 내가 아무리 연기를 갈고 닦는다고 한들 '나'는 나일 뿐, 나라는 사람이 달라지지는 않는데 저 아우라는 어떻게 얻을 수 있는 것일까. 과연 태생적인 한계인 것일까. 스스로 증명이 필요한 시기가 온 것 같다. 아니야, 조급해 하지 마. 연기할 때의 본질을 잊지 말자.

연애의 목적 - 5 일차

끼야 찝찝해. 기분이 좋다. 찝찝한 연기를 하고 나서 개운한 기분이 드는 것보다는 찝찝한 것이 좋다. 그래야 제대로 상황에 녹아 들었다는 느낌을 받기 때문이다. 시원하려고 계곡에 가서 물놀이를 했는데 물기가 하나도 없이 깨끗하다면 그것을 보고 어떻게 물놀이를 했다고 할 수 있겠는가. 그래서 나는 이런 찝찝함이 좋다.

오늘은 내가 전에 정말 좋아했던 여자의 사진을 두고 연습을 했다. 역시 상상이든 뭐든 간에 직관적인 것이 배우의 감각을 자극하는 데에 최고인 것 같다. 내가 하고 싶은 말, 내가 하지 못했던 말을 유림의 입을 빌려 고스란히 다 뱉었다. 이런 것이 연기의 매력이 아닐까 싶다. 현실에서 풀 수 없는 것을 연기로서 해소하는 힘.

연애의 목적 - 6 일차

요즘 내 지인들을 상상해서 그 지인들과 수다 떠는 놀이를 한다. 처음엔 그냥 연기에 대해, 누군가를 가르친다는 생각으로 혼자 떠들었다. 그런데 심심해서 시작한 혼잣말이 연기적으로 도움이 된다는 결론을 얻고 훈련으로서 열심히 혼잣말을 하는 중이다. 연애의 목적을 연습하는 중에 나는 홍이한테 어리광을 부리기도 하고 진지하게 고백도 해보았다. 일상에서 혼잣말을 훈련하니 연기는 나에게 특별히 무언가를 해야 하는 것이 아닌 일상으로 다가왔다. 이게 정말 도움이 되는 연기법인지 아닌지는 모르겠지만 나한테는 좋다 느껴지니. 항상 최선을 다해 정진할 뿐이다.

연애의 목적 - END

이번 6번째의 모놀로그도 즐기면서 잘 마쳤다. 하지만 하면서 느낀 것이 있다. 나는 경험에 의존하여 연기를 하는 경향이 크다고. 물론 '나로서의 연기'와 '또 다른 나'의 연기 방식은 내 안에서부터 시작하기 때문에 나의 경험이 필수 요소이기는 하다. 그렇다고 살인범의 역할을 맡게 되었을 때 정말 살인을 경험할 수는 없지 않은가. 그런 생각 끝에 나는 다음 독백에서 새로운 도전을 해보려 한다. 내가 정말 싫어하고 가식으로 느꼈던 연기 방식인. 'Showing'을 해보겠다. 내가 경험하지 못한 것을 진실하게 연기하지 못할 바엔 관객을 확실하게 속여 보겠다.

7) 비스티 보이즈

S# 실내 / 오후 / 재현역 : 하정우

(빚더미에 앉아 동생과 여자친구들에게 돈을 구걸하는 인생이지만 폼생폼사, 허세 가득한 인물이다. 화려한 입담과 거짓말이 주특기이다.)

너 내가 호빠 마담이라고 우습게 보는 거야? 어? 아무리 내가 여자한테 술 따르면서 살지만 나도 자존심이 있는 놈이야. 참나 성폭행? 사기? 고소해. 고소하면 되잖아! 아니. 그냥 신고하라고. 그래서 너랑 나랑 인연 끝나면 그걸로 난 족해. 난 어차피 전과도 없고 집행유예나 벌금 떨어지겠지. 그리고 너랑 합의 보면 끝나는 상황 아니겠어? (빈정대며) 왜, 화나? 얼마 필요한데? 합의 봐 줄게. 애기해 봐. 얼마 필요해? 너-- 돈 몇 푼 해줬다고 사람 이렇게 무시하는 거 아니야.(울먹이며) 야, 나도 너한테 못하는 말이 있는 거야. 그 비행기 티켓이 내 것 같아? 아버지 거야……. 아버지……. 내가 너한테는 이야기 안 했지만……. 우리 아버지가 몸이 많이 안 좋으셔……. 그래서 내가 아버지 돌아가시기 전에 해외여행, 효도 관광 한 번 보내드리려고 그런 거야.

비스티 보이즈 - 1 일차

어려운 독백이다. 이 단편적인 대화만 보고 일상적인 상식 선에서 상황을 선뜻 머릿속으로 그려보기가 조심스럽다. 아무래도 이 인물은 태생이 뻔뻔하고 거짓스러운 인물인 것 같다. 그것이 아니라면 저런 태도 변화는 나오기 힘들 거라고 생각했다. 즉, 교활한 성격인 것 같다는 뜻이다. 그리고 상대 여성은 세컨드 같은 느낌적인 느낌……. 무엇 때문에 태도가 저렇게 바뀌게 되었는지, 그 이유를 직접 만들어 볼 필요가 있을 것 같다.

비스티 보이즈 - 2 일차

박미새와 호빠. 생각만 해도 정말, 진짜, 너무 어울리지 않는다. 이걸 나의 무기로 삼는다면 나를 찌르는 창이 될 것이다. 하지만 그렇기에 이번 독백이 'Showing'을 연습하는 대사로서는 더할 나위 없이 좋다. 호빠 마담을 나와 어울리는 캐릭터로 만들어 보겠다. 그리고 인위적인 충동을 만들어 사용해 보겠다. 호흡, 동선, 전부. 관객이 봤을 때 "어 쟤 좀 연기 잘하는데?" 싶은 생각이 드는, 있어 보이는 연기를 해보겠다. 그리고 이번 독백으로 보여주기 식 연기, 관객을 속이는 연기가 과연 나에게 긍정적인 영향을 끼칠지, 아니면 독이 될지 한번 알아보겠다.

비스티 보이즈 - 3 일차

이 독백을 평소에 내가 사용하는 '나로서'를 기반으로 시작하는 연기를 했으면 좀 찌질하고 코믹하게 풀어 나갔을 것 같다. 하지만 나는 직관적인 이미지로 캐릭터를 만들어 보았다. 그리고 바로 연기에 돌입했다. 그러자 곧 문제에 직면했다. 느껴지지 않는 충동을 연기하려니 연기할 때 자꾸 망설임이 생겼다. 좀 뻔뻔해질 필요가 있을 것 같다. 좀 더 치열하게 해보자.

비스티 보이즈 - 4 일차

내가 착각한 것이 있었다. 'Showing'의 연기는 '못하는' 연기가 아니었다. '내가 진실하게 연기하는 것처럼 보이도록 관객을 속이는 것', 즉, 내가 그동안 추구하는 방식과 가치관이 다른것 이지 이것 역시 잘하는 연기였던 것이다. 하지만 쇼잉을 하려니 잘 안된다. 아니다. 이건 그냥 내가 연기를 잘 못하는 것뿐이다. 잠시만, 애초에 연기에 진실함과 거짓됨을 나눌 필요가 있을까. 우리가 살고 있는 세상에 100%의 진실이나 거짓이 과연 존재할까. 진실하다 한들 1%의 티가 존재할 것이며 반대로 거짓도 마찬가지 아닐까. 나에게 연기란 무엇이었지? '소통' 아닌가. 그 대상은 '관객'이 됐든 '세상'이 됐든 이해,공감, 설득을 하는 것이다. 나의 연기의 본질은 '소통'이다. 그렇듯 본질을 잃지 않는다면 이분법적으로 나눌 필요가 없다. 본질에 집중하자.

비스티 보이즈 - 5 일차

내 연기로서 '소통'이 성공했다면 그 자체로 존귀한 것이라는, 새로운 가치관의 영역을 가지게 됐다. 이걸 조금 다르게 말하면 어떤 방법을 사용하든 '소통'이란 본질에 가까워지기만 하면 된다는 것이다. 역시 연기는 어렵다. 처음으로 돌아온 기분이다. 내가 지금 이 인물로서 소통을 하려면 어떻게 해야 할까……. 교활한 인간, 박쥐…….

아, 짜증이 난다. 뭔가 머릿속이 굉장히 복잡해졌다. 왜 이러지. 연기가 잘 안 된다. 아…….

비스티 보이즈 - 6 일차

뻔한 연기. 난 접근부터 잘못 하고 있었다. 매주 반복되는 독백 연습에 해이해져, 인물을 그려나가는 과정에서 느낌적으로 인물을 추측하고 만드는 실수를 저질렀기 때문이다. 배우는 인물에게 다가갈 때 마음으로, 공감해 주면서 조심스럽게 대해야 하는데 이 일기를 매주, 매일 채워야 한다는 생각에 조급하게, 성급하게 굴었다. 이 인물은 대충 이런 느낌이니까. '교활한 느낌이니까'. 느낌으로 다가가니 인물을 연기할 때 깊이가 전혀 살아나지 않고 누구나 다 하는 뻔한 연기가 되어 버렸다. 이런 기초적인 것을 놓치면 안 하느니만 못하다.

비스티 보이즈 - END

정말 정신적으로 힘든 한 주였다. 그만큼 연기에 대해 많이 고민하고 정신력을 많이 소모했다는 증거겠지. 그리고 그 보상을 받듯 깨달음을 얻었다. 내게 부족한 점과 반성할 점을 찾았다. 연기가 진실되었는가, 그렇지 않은가는 관객이 결정한다. 내가 진실하게 했다 한들 관객과 소통에 실패했다면 그것은 내게 거짓된 연기라고 할 수 있다. 그리고 인물에게 접근할 때는 마음으로 다가가자. 그리고 비스티 보이즈의 '재현'에게는 미안하지만 나는 이 인물에게 더 이상 다가가지 못할 것 같다.

8) 우리들의 행복한 시간

S# 구치소 만남의 방 / 밤 / 윤수 역 : 강동원

(피식) 사형 때리곤 판사가 그러데요. 기분이 어떻냐? 그랬죠. 기분 차암 좋다. -- 남들이 술렁술렁 거리데요. 그래서 말했죠. 첫째, 죽지 못해 살았는데, 나라에서 죽여준다니 좋고. 둘째, 태어나 관심 한 번 받아본 적 없는데, 이렇게 관심 가져 주니 좋다! --- 이 안에선, 죽고 싶다는 생각 하나만 가지면 돼요. 안 그러면, 머리만 복잡해 지거든요.--- 근데 그딴 건 왜 물어봅니까?

(사이)

다른 사람들처럼 기도해라, 속죄해라, 그런 말이나 하든가. 대가리 아프게 뭐하러 그딴 걸 궁금해 하는지 모르겠네.

우리들의 행복한 시간 - 1 일차

사람마다 본인만의 감정을 표현하는 방법이 있다. 당장 우리 엄마만 봐도 화가 나면 분위기부터 달라지고, 만지면 화상을 입을 것처럼 불같이 달아오른다. 그러나 슬프거나 힘든 일이 있을 때는 좀처럼 티를 내지 않으신다. 이처럼 같은 사람이어도 어떤 상태에 있냐에 따라 표현하는 방식이 다르다. 윤수는 본인의 상태를 어떻게 표현하는 인물일까. 내가 사형 선고를 받았다고 상상하면, 그간 해온 행동에 대한 후회로 손발이 경직될 만큼 정신적 붕괴가 올 것 같은 기분이다. 그렇지만 지금 윤수의 말과 행동을 보면 정말 아무렇지 않아 보인다. 괴로움을 태연함 뒤에 숨기는 방식으로 표출하는 경우거나, 아니면 정말 자신이 말했던 대로 죽음을 바라는 인물일 것이다.

우리들의 행복한 시간 - 2 일차

어제 계속 대사를 되뇌며 상황 속에서 숨을 쉬고 존재해 본 결과, 윤수는 죽음을 바라는 인물이 아니라는 결론을 내렸다. 오히려 누구보다 외로움이 많은 인물이고 위로가 필요한 인물이다. 다만 세상으로부터 받은 상처가 너무 많아, 자기 방어를 위해 타인과 세상에 적대적인 태도가 된 것이다. 그러니 나는 열심히 세상에 대한 자기 방어를 하면 되는 것이다. 90%의 적대심과 10%의 온정.

우리들의 행복한 시간 - 3 일차

윤수라는 인물에 대해 더 공부하고 알아가고 싶은데, 정보가 없으니 내 상상으로 정보를 메꾸는 방법뿐이다. 나중에 시나리오 공부하는 과정을 일기에 담아볼까 싶다. 뭐, 그건 나중 일이고, 오늘은 연습 삼아 오건무 상병에게 대화 중에 대사를 던져 보았다. 그렇게 대화가 오가던 중 윤수가 할 법한 생각이 순간 머릿속에 스치면서 몰입이 되었다. 내가 마치 윤수가 된 기분이랄까. 식상한 표현이지만 이게 정말 맞는 말이다. 내가 윤수라는 옷을 입었다. 윤수와 나의 표현 방식이 우연히 겹친 것 같다. 마치 어렸을 적 따돌림으로 친구가 없었을 때, 누군가 나에게 관심을 가져 주니 순식간에 기분이 좋아지면서 말문이 트였던 기분. 잠시 동안 즐거웠지만 곧 다시 깊은 굴 속에 숨어 버린……. 마치 유기견 같은.

우리들의 행복한 시간 - 4 일차

연습, 또 연습. 이젠 연습도 내 하루 루틴이 되었다. '습관화'가 된 것이다. 내가 지금까지 성실하게 임했다는 증거이기도 하겠지만 속으로 걱정되는 부분도 있다. 연기에 있어서 습관화는 결코 좋은 것이 아니기 때문이다. 자유로운 분위기 속에서 스스로 환기를 시켜 주고 신선한 충동이 들어오게끔 해야 한다. 그런데 나는 지금 군에 있기 때문에 신선한 자극이 들어오기 쉽지 않은 상황이다. 그렇기에 강박을 가지고 연습하지 않도록 조심스럽게 다가가야 한다.

윤수와 나는 좋은 친구가 되었다. 귀신의 성불을 돕는다는 것이 이런 느낌이려나? 윤수의 마음을 알아 주니 덩달아 나도 위로를 받은 느낌이다. 아, 너무 새벽 감성인 건가…….

우리들의 행복한 시간 - 5 일차

나의 자극제는 시기, 질투, 부러움이다. 그게 연기적인 것이든 외모적인 것이든 나는 다른 사람이 성장한 모습을 보고 자극을 받는다. 그래서 나에게 군대는 하루하루가 고문과도 같은 곳이다. 그리고 실력에 대한 확고한 자신감이 이와 같은 것들을 더 자극하고 있다. 군대에 있으면 활동과 연기에 제약이 크다. 이 제약 속에서 뒤처지면 안 된다는 생각이 나를 움직이게 한다. 전역하고 5 년, 그 정도면 충분하다. 연기로 많은 사람들에게 인정 받을 수 있다. 나를 믿자. 조급해 하지 말자. 한 걸음씩 눈앞의 목표를 보며. 뒤처지지 말자. 정진하자.

우리들의 행복한 시간 - 6 일차

오늘 진선규 배우의 '카운트' 장면 연기를 보았다. 그의 메세지가 진정성 있고 무게감 있게 전달됐다. 마치 심해의 밀도 높은 바닷물이 아래로 깔리듯 그의 연기가 내 마음에 들어와 깔렸다. 진선규 배우님은 인물의 삶을 살고 자신(인물)이 겪은 일을 토대로 인물의 말을 하는 것 같아 기억에 인상 깊게 남았다. 나 또한 그런 연기를 추구하기 때문에 나의 길에 있어 더욱 확고한 확신을 얻었다.

우리들의 행복한 시간 - END

이번 모놀로그는 꽤나 애착이 간다. 아쉬움이 많이 남는다. 간만에 몰입이 되는 연기를 하기도 했고, 오디션을 보는 용도로도 워낙 도움이 될 독백이기에 더 잘하고 싶은 마음이 생겨 그럴 수도 있겠지만, 무엇보다 인물로서의 '통감'을 느껴 봤기 때문이다. 윤수라는 인물과 나는 많이 닮아 있었던 것 같다. 그의 마음에 다가가는 게 어렵지 않았다. 그래서 더 애착이 가는 걸지도 모르겠다. 내가 정말 이 작품의 윤수 배역을 받았으면 어땠을까. 분명 강동원 배우님과 다른 삶을 사는 캐릭터가 만들어졌을 것이다. 그런 내가 궁금하다. 나도 나만의 역할, 나만의 인물을 부여 받는 날이 왔으면 좋겠다.

9) 봄날은 간다

S# 다방 / 낮 / 상우 역 : 유지태

신기하다. 나 왜 못 잊지? 나 미련 같은 거 없거든? 나도 잊고 싶어. 걔는 잘도 잊던데, 난 왜 안 되지? 분해서 그런가? 지가 먼저 꼬신 거 아니야? 이상해. 잠도 안 와. 힘든데 왜 못 잊지? 왜 생각 나냐고? 이 세상에서 제일 좋아한다구 생각했었어. 근데 지금은 미워. 제일 좋기도 하고 --- 이게 말이 되니? 아냐, 됐어. 난 별로 술 먹고 싶지 않아. 맨 정신으로 잊고 싶어. 요즘은 우리 할머니가 부럽다. 얼마나 좋을까? 좋은 것만 기억하고 나쁜 기억은 잊어버리니……. 그런 생각도 해봤어. 그 여자도 늙을거구, 그래서 할머니 된다구. 그런 생각하면 나아질 줄 알았어. 근데 그런 생각하면 그 여자가 갑자기 불쌍해진다. 그래도 보고 싶어지거든.

봄날은 간다 - 1 일차

이번 모놀로그는 내가 하고 싶은 대로 다 할 거다. 느껴지는 충동 그대로 말하고, 행동하고, 나를 가둬 놓지 않을 것이다. 아까 이정현 배우님의 온 앤 오프 예능 프로그램을 보았다. 정말 현대 배우의 지극히 현실적인 모습이 아닐까 싶으면서 정말 나의 이상적인 모습이었다. 특히 이정현 배우님의 특유의 연기 아우라가 있다. 강렬한 인상에 그것과 반대되는 섬세한 연기가 돋보인다. 색으로 치면 적색이다. 사람을 긴장하게 만드는 무언가가 있다. 부러웠다. 나도 그런 무언가가 있는 배우일까. 나는 나의 충동을 끊임없이 발산하며 나의 무언가를 찾아봐야겠다.

봄날은 간다 - 2 일차

미쳐라. 나는 요즘 미쳐서 하는 연기를 하는 중이다. 정말 거리낌 없이 느끼면서 내가 하고 싶은 대로 연기하는 중이다. 갑자기 소리를 지르고 싶으면 지르기도 하고, 웃고 싶으면 웃고, 연기를 하다가도 빼큐를 날리고 싶으면 날리기도 한다. 남이 볼 때는 미친놈처럼 보이겠지만 나는 열심히 나에 대해 알아 가는 중이다. 나는 그저 무엇 하나 거리낌 없이 어린 아이처럼 놀 뿐이다. 그리고 내면을 에너지로 꽉꽉 채운다. 인물의 생각, 충동 등 존재 에너지로서 말이다. 나답게. 나로서. 아름답게 공간을 채우자.

봄날은 간다 - 3 일차

느낀 것이 있다. 나는 아무래도 정말 매력 넘치는 배우인 것 같다. 물론 아닐 수도 있지만. 내가 연기한 것을 영상으로 찍어 보았다. 솔직하게, 나 많이 늘었다. 군대에 있으면서 내가 연기하는 모습을 볼 수가 없었는데 외박 나가서 찍고 보니 예전과 비교할 수 없을 정도로 많이 늘었다. 그리고 관객을 끌어들이는, 계속 보게 만드는 매력이 있다. 생긴 것이 이래서 그런지 코믹한 것도 어울리고 무게감 있는 인물도 정말 잘 어울린다. 그러니 나는 이런저런 생각을 하지 말고 나다운 것을 인물로 보여주면 된다. 판단은 오로지 관객의 몫이다. 내가 나답게 연기하는 모습을 보여주면 내 매력을 알아서들 찾아 주실 것이고 아름다운 연기라고 평가해 줄 테니 더 이상 이런저런 생각에 나를 가두지 말자.

봄날은 간다 - 4 일차

중요한 부분을 놓치고 있었다는 것을 깨달았다. 배우의 신체를 등한시하고 있었던 것이다. 연기적인 깨달음도 중요하지만 이런 부분도 중요하다. 기본적인 것. 균형 잡힌 신체와 발음, 발성, 호흡. 바로 배우의 기본기다. 특히 발음과 호흡에서 미흡한 부분을 발견했다. 나는 전부터 'ㅎ' 발음을 할 때 호흡이 한 번에 나가는 습관이 있었다. 고쳤다고 생각했는데 영상에서는, 하……. 심각했다. 그리고 발음도 연습할 필요가 있다. 한번씩 뭉개질 때 마다 내 연기가 너무 보기 힘들었다. 사설 읽기도 다시 시작해야겠다. 아직 멀었어.

봄날은 간다 - 5 일차

이제 나에게 대사는 그렇게 중요한 부분이 아니다. 내가 상우로서 어떤 삶을 살아가느냐가 중요한 것이다. 이 모놀로그에는 “나 왜 못 잊지?” 라는 대사가 있다. 이것을 그냥 대사라고 생각하면 한낱 글자에 불과한 것일 테다. 하지만 상우의 심정에 이입하여 저 말을 하는 이유에 공감하고 상우를 글 속의 등장인물이 아닌 정말 한 명의 사람으로 봐준다면 연기를 보는 시각이 확 트일 것이다. 이것이 내가 여러 독백을 하면서 배운 점이다. 항상 느끼지만 배우는, 아니 사람은 마음가짐이 정말 중요한 것 같다.

봄날은 간다 - 6 일차

발음, 호흡 연습 완료.

오늘은 조금 다른 방식으로 연습을 해 보았다. 바로 대화하는 상대와의 관계를 바꿔 본 것이다. 극 속에서 상우는 친구와 대화를 한다. 나는 엄마와 할아버지, 그리고 부대 내 간부님 등을 생각하고 연기를 시작했다. 솔직히 연기를 하기 전까지 이게 무슨 차이가 있겠느냐 싶었지만, 상대가 우리 엄마라고 생각하니 마음 편히 이야기를 하면서 더 위안을 받았고, 할아버지라고 생각하니 할아버지께서 어떤 말씀을 하시는지 듣는 데 더 집중했다. 간부님과 대화할 때는 언행이나 행동에 있어서 좀 더 조심스러운 연기를 하게 되었다. 물론 생각해 놓은 동선이나 충동은 일절 없었다. 정말 자연스럽게 나의 태도가 변화했다. 얼른 다른 사람과 함께 연기하고 싶다.

봄날은 간다 - END

발음, 호흡 연습 완료.

이번 한 주도 정말 정신없이 흘러갔다. 아니, 열 달이 순식간에 지나간 기분이다. 내가 살면서 이렇게 타의가 아닌 자의로 달려본 적이 있었나, 그것도 이렇게 꾸준히? 아니, 없었다. 뒤처지지 않기 위해 정말 부단히 달렸다. 자투리 시간만 잘 이용한다면 군대라는 곳도 지내기 나름인 것 같다. 나 자신이 대견하다. 공책의 두께가 이를 증명해 주고 있다. 조금만 더 힘내서 전역까지 꾸준히 달려 보자!

10) 와일드 카드

S# 취조실 / 오후 / 방제수 역 : 양동근

(인간적으로 다가가 정보를 캔다.)

넌 어땠는지 모르겠지만 나 학교 다닐 땐 제일 부러웠던 게 도시락에 계란말이 싸 오던 애들이었어. 나 일곱 살 땐가 부모님이 교통사고로 돌아가시곤 줄곧 누님이랑 살았는데, 그때부터 누님이 아침엔 신문 돌리고 학교에서 돌아오면 밤새 한 개당 10 원 하는 눈깔 인형 붙여 팔았다. 600 개 붙이면 하루에 6000 원 번다, 너. 한번은 누님 따라 인형을 납품하러 나갔는데 아마 한겨울이었을 거야. 너무 많이 걸어서 그런지 배가 무지 고프더라. 누님이 대뜸 가게에 들어가더니 삶은 계란 하나 사 가지고 오면서 나더러 먹으래. “누나 먹어.”, “너 먹어”, “누나 먹어.”, “너 먹어”. 내가 계란을 땅바닥에 내리쳤다. 얼마나 세게 내리쳤는지 계란이 으깨졌어. 누님이 날 막 때리면서 그러더라. “이까짓 계란이 뭐가 그리 대단하다고 안 먹고 지랄이야!”

(사이)

둘이 부둥켜 안고 엉엉 울었다. 그 누님에게 해주고 싶은 게 참 많았는데 폐암으로 죽었어. 미친년……. 참 예뻤는데…….

와일드 카드 - 1 일차

발음, 호흡 연습 완료.

얼핏 보면 그저 슬픈 자신의 이야기를 하는 대사처럼 보일 수 있다. 하지만 방제수가 이 말을 하는 이유는 그것이 아니다. 너무 감사하게도 이 대사의 상황 설명이 내가 말하는 목적도 같이 설명해 준다. 방제수는 취조를 하기 위해서 이 말을 하는 것이다. 다르게 말해, 말로 용의자의 공감을 불러 일으키고 "너 많이 힘들지? 나도 그랬어. 네 맘을 이해해."라는 메세지를 전하고 있다. 이것을 나의 방식대로 어떻게 풀어 내느냐가 이 모놀로그의 키 포인트 인 것이다.

와일드 카드 - 2 일차

발음, 호흡 연습 완료.

내가 느끼면 안 돼. 내가 이 독백을 하면서 정말로 슬퍼해선 안 된다. 슬퍼 보이도록 해야 한다. 필자는 연기할 때 관객의 '몫'을 남겨 놓아야 한다고 생각한다. 배우가 혼자서 슬픔을 흐느끼고 그것을 관객이 본다면 그저 "아, 저 배우는 슬프구나"하는 감상에 그칠 것이다. 하지만 절제된 감정 연기 속이라면 관객은 생각을 하게 되고, 상황을 배우와 공유하게 된다. 그리고 나중에는 관객도 마치 자신이 인물이 된 것 마냥 공감을 하게 된다. 관객도 느낄 수 있는 '여지'를 주는 것이다. 그리고 그것이 쌓여 '여운'이 있는 연기가 된다. 물론 여운이라는 것을 만들기 위해 항상 신경 쓰라는 것은 아니다. 다만 이 대사에서만큼은 반드시 신경 써야 한다. 용의자에게 '여운'을 줘야 입을 열 것이기 때문이다.

와일드 카드 - 3 일차

발음, 호흡 연습 완료.

나에게 누나는 어떤 사람이었을까. 다른 남매들과 같이 늘상 함께 투닥거리는, 우리 엄마의 딸 느낌은 아니었을 것이다. 기억 속 어릴 적 누나의 모습은 긴 생머리에 분홍색 머리띠를 하고 피부는 까무잡잡하지만 정말 고운 그대. 하루하루가 힘들다는 생각조차 하지 못하고 먼저 돌아가신 부모님을 원망할 틈조차 없이 고된 일상을 보내던 우리 누나. 나를 위해 무엇 하나 게을리 하지 못했던 엄마 같은 누나. 항상 손에 굳은 살이 박혀 있던 거친 손을 가졌지만 춥다고 하면 제일 먼저 부드럽게 감싸 주던 누나. 하지만 내가 군대 간 사이에, 내가 손 한번 먼저 잡아 주기도 전에 세상의 손을 놓아 버린 우리 누나. 항상 보고 싶다. 사랑해.

와일드 카드 -4 일차

발음, 호흡 연습 완료.

나는 할 수 있다. 지금 이런 과정들이 지나고 나면 나를 성장 시킬 것이고 난 분명 멋진 배우로 성공 할 수 있다. 나를 믿는 거야.

인생은 "어떻게든 되겠지"가 아닌 "내가 만들어 가는 것". 순간의 선택에 따라 미래의 내 모습이 달라진다. 지금 내가 불행을 겪고 있다면 과거의 나의 게으름을 원망해야 할 것이다. 지금 내가 발전하지 않으면서 희망찬 미래를 바라는 것은 욕심이다. 후회할 선택을 할지언정 선택을 피하지는 말자.

항상 생각하고, 항상 인지하려 하고, 항상 연기하고, 항상 나의 삶을 살자.

와일드 카드 - 5 일차

발음, 호흡 연습 완료.

이번엔 조금 특이한 방법으로 연습을 했다. 방제수로서 연기하지 않고 듣는 용의자로서 상황에 들어가 보았다. 그리고 내가 연기하는 방제수를 상상하며 이야기를 들어 보았다.

전혀 마음이 가지 않았다. 내가 용의자의 삶을 잘 모르기 때문일까, 아니면 내가 연기를 못하는 것일까. 무엇이 문제일까. 내가 용의자라면 과연 저런 동정 호소에 입을 열까.

와일드 카드 - 6 일차

발음, 호흡 연습 완료.

지금 생각에 너무 깊이 빠져 있다. 그러면 볼 수 있는 것도 시야가 좁아져 볼 수가 없다. 간결하게 해결하자. 지금 이전에 5 일 동안 고민하고 연기한 것을 싹 다 잊자. 지금 나는 당일 대사로 이 독백을 받은 것이고 그저 주어진 대로 충실히 연기를 하면 되는 것이다. 대사에 있는 힌트 그 이상의 것을 찾으려고 하다 보니 스스로 사족을 붙였고, 그것이 연기를 방해하고 있다. 보이지 않는 것을 탐구하고 관찰하는 것도 중요하지만 너무 복잡해질 땐 보이는 것만 보고 들리는 것만 듣자.

와일드 카드 - END

발음, 호흡 연습 완료.

'모놀로그 - END'를 적을 때마다 나는 연기를 통해 삶을 배웠다고 느낀다. 그리고 인간으로서 나의 인격이 상승함을 느낀다. 반대로 연기를 할 때는 나의 삶을 스승 삼아 연기한다. 연기와 삶. 삶과 연기. 배우의 스승은 세상이다. 그리고 학생의 자세는 끊임 없는 성찰을 통해 복습하고, 삶의 방향성을 계획하고, 양찰을 통해 어떤 인물이든 받아들일 준비를 하는 것이다.

11) 재심

이준영 역 : 정우

(억울하게 누명을 쓰고 살인범이 되어 감옥에 가게 된 학생 현우. 준영은 그런 현우를 돕는 재심 변호사이다.)

현우야, 우선 진정하고 칼 이리로 줘. 우리 법으로 해결하자, 응? 그만해. 그래, 죽이고 싶으면 죽여. 죽여서 너 그 억울한 거 풀리면 진짜 살인해라. 근데 먼저 죽여야 될 건 이 새끼가 아니야. 너, 나쁜 새끼는 나야 나. 사실 나 테미스 변호사 아니다. 욕심 부리다 빚더미에 앉았고 와이프 딸 데리고 도망가고 그래서 이 사건 맡은 거야. 너 이용해서 어떻게든 취직하고 돈 한번 벌어 볼라고 그런 거라고 그러니까 진짜 나쁜 새끼는 나야. 자 찔러라. 그니까 이제 나부터 죽여라. 죽여! 못 찌르겠지? 왠 줄 알아? 너는 살인범이 아니니까. 내가 잘 알아. 너는 사람 죽일 놈이 못 돼. 내가 그거 안다고. 그래서 더 미안하다. 그니까 나한테 한번만 기회를 더 줘라. 내가 법정에서 증명해 줄게. 내가 이 세상 사람들에게 말해 줄게. 너 절대 살인범 아니라고. 그러니까 우리들이, 우리들이 조현우한테 사과를 해야 한다고. 미안하다…….

재심 - 1 일차

발음, 호흡 연습 완료.

읽기만 해도 에너지가 강렬하게 느껴진다.

나는 멋진 영웅도 아니고 이 상황을 타개할 만한 힘을 가진 주인공도 아니다. 나는 그저 이 상황을 맞닥뜨린 박미새라는 '사람'일 뿐이다. 괜히 칼 든 사람 앞에서 대사 많이 한다고 있어 보이는 척, 멋진 척 연기하지 말자. 칼 앞에서 나는 두려움에 떨고 있는 나약한 한 사람에 불과하니까. 그러니 "대사에 속아 지면에 붙은, 떼어지지 않은 연기를 하지 말자." 그저 현우와 대화를 하자.

재심 -2 일차

오늘은 대본의 상황 속에서 삶을 살아가는 연기가 아닌 현재 살아가고 있는 '나의' 상황 속에서 느껴지는 대로 연기를 해보았다. 차에서 멀미가 날 때, 자다 일어나서 비몽사몽일 때, 밥을 먹던 중간 등 생각이 날 때마다 주저 없이 연기를 해보았다. 내가 이렇게 연습한 이유는 틀에 갇히기 싫었기 때문이다. 어쨌든 나는 칼을 든 남자를 상대하고 있다. 아무리 현우가 칼로 사람을 찌를 사람이 아니라고 할지언정 미래는 아무도 모르는 일이다. 그렇기에 나는 두려움과 공포, 긴장감 등 상황에 맞는 나의 상태를 가지고 연기할 것이다. 그래서 나는 이런 정해진 '상태'에서 벗어나 신선한 상태에서 연기를 해, 색다른 영감과 시선으로 극을 바라보며 숨어있는 극의 포인트를 분석해 정해진 틀에서 벗어나고 싶었다.

재심 - 3 일차

모든 인물은 앞으로 무슨 일이 닥칠지 모르고, 배우는 예측하는 연기를 경계해야 한다. 어쩌면 이 모놀로그에서 가장 아무렇지 않게 지나가는 부분일 것이다. 필자도 이 사실을 알고 있으면서도 조금만 집중을 놓으면 인지하지 못한 채 내 할 말만 하고 있다. 바로 눈앞에 칼이 있음에도 불구하고……. 정말 아이러니한 상황이다. 막상 눈앞에 닥치면 말 한마디도 제대로 못할 것 같은데……. 그럼에도 불구하고 이준영 변호사가 현우를 설득하는 것은 굉장한 용기와 어떠한 확신과 함께한 일일 것이다. 현우가 절대 나를 찌르지 않을 거란 확신 말이다. 신뢰 관계를 떠나, 내가 하는 말에 동요하는 현우의 눈빛과 같은 리액션에서도 힌트를 얻었을지 모른다. 좀 더 섬세하게 구축할 필요가 있다.

재심 - 4 일차

나는 이 극적인 상황을 즐기기를 원했다. 그래서 <여자, 정혜> 때에 사용했던 방식대로 대략적인 상황 이해만 마치고 그 상황에 빠져 보았다. 정말 솔직하게 나로서 다가갔다. 처음에는 한마디는커녕 잽싸게 도망부터 갔다. 두 번째에는 내가 현우의 담당 변호사라는 역할을 부여하고 상황에 들어갔다. "우리 법으로 해결하자. 응? 그만해." 라는 말까지는 어떻게든 했다. 하지만 그 뒤의 말은 차마 잇지 못하고 포기했다. 칼을 내려 놓으라는 말과 함께 경찰이 오기를 기다리며 시간을 끌 뿐이었다. 세 번째에는 현우를 '설득하기'를 목적에 추가했다. 헛소리를 하며 그만하라고 말했지만 실제 상황이었다면 나는 칼에 찔렸을 것이다. 여러 번의 시도 끝에 내린 결론은, 사명감과 죄책감을 가지고 현우를 '설득'하는 것이 아니라 "나는 네 편이야." 라고 위로해 주어야 한다는 것이다.

재심 - 5 일차

발음, 호흡 연습 완료.

현우를 그저 위협적인 칼을 든 남자가 아닌, 세상으로부터 받은 상처가 많은 아이를 달랜다고 생각하고 다가갔다. 그리고 너는 혼자가 아니라고, 네 곁엔 내가 있다고 말해줬다. 혼자인 기분, 주변 모두에 대한 불신으로 가득 찬 마음이 얼마나 스스로를 고립시키는지는 나도 잘 알고 있었다. 세상으로부터 버림받은 것만 같은 기분. 현우의 아픔을 0.1%라도 이해할 수 있었다. 하지만 어제 찾아야 했던 이준영 변호사의 사명감과 죄책감은 찾아내지 못했다. 얼마나 큰 죄책감과 사명감을 가졌길래 칼을 눈앞에 두고 저렇게 말할 수 있는 것일까. 원래 사명감이 투철한 인물일지라도 목숨이 더 우선이 아닌가……. 잘 모르겠다……. 원작을 찾아볼까.

재심 - 6 일차

오리지널을 최대한 보지 않으려고 하는데, 재심이라는 영화는 내가 너무 궁금해서 공부해 보다가 놀라운 사실을 알게 되었다. 바로 이 영화가 2000 년 8 월 10 일 '익산 약촌 오거리 택시 기사 피살 사건'을 모티브로 만든 작품이라는 사실이다. 즉, 여기에 나오는 주요 인물 이준영은 실제 박준영 변호사를 모티브로 만든 인물이라는 것이다. 그래서 나는 박준영 변호사에 대해 더 알아보았다. 검색도 해보고 인터뷰 영상도 한참 동안 들여다보았다. 그렇게 내린 결론은 '나는 이준영 변호사 역할을 소화할 수 없다.'였다. 내가 어제 잘 모르겠다고 한 그 '사명감'이 박준영 변호사를 움직인 원동력이었기 때문이다. 사명감을 흉내 낼 수는 있지만 진실한 마음으로는 그를 공감하기 어렵겠다는 생각이 들었다.

재심 - END

발음, 호흡 연습 완료.

많이 아쉽다. 이 작품이 실화를 바탕으로 한 영화인 것을 알았다면 신나게 시나리오 공부하듯이 하나둘 공부하며 파헤쳤을 텐데. 내 스스로 약속한 시간에 위배되어 이 좋은 모놀로그를 마무리하지 못했다. 반드시 다시 돌아올 것이다.

이번 인물의 '사명감'을 만난 경험을 바탕으로, 인물의 '가치관'에 대해 알아가 볼까 하는 고민 중에 있다. 가치관이 맞는 사람끼리 대화가 잘 통하고 금방 친해지듯이 그 인물의 인생 가치관을 알게 된다면 나와 더 가까워질 수 있겠다는 생각이다.

제 0 장

: 다시 새로운 시작입니다.

5년 동안 열심히 연기 공부를 하며 필기했던 것으로 시작하여, 군대에서 개인적인 욕심으로 원고를 쓰고 결국 책도 발간하게 됐다. 감개무량하다. 나는 아직은 세상에 많이 알려지지 않았다. 부모님과 친구들에게 "박미새라는 배우가 당신의 아들, 친구니까 마음 놓고 자랑하고 다녀!"라는 말을 하기 부끄럽지 않을 정도의 유명 배우가 아니다. 그래서 이 책을 읽으면서 '네가 뭔데 연기에 관해서 이래라 저래라야!'라고 할 수도 있는데, 이것만큼은 단언할 수 있다. 나의 책 한 권 분량의 글이 전부 그릇된 내용일지언정 연기를 향한 나의 마음은 한 치의 그릇됨도 없다는 것을..

얼마 전, 영화 어바웃 타임의 한 장면을 보았다. 어떤 남자가 굉장히 불만족한 하루를 보냈다며 잠자리에서 불평을 한다. 하루 종일 나쁜 일만 있었기 때문이다. 아침부터 직장 상사의 잔소리와 싸웠고, 시간에 쫓기느라 주변 사람들에게 함부로 대했고, 재판에서 승소했음에도 불구하고 기쁜 감정을 즐기지도 못했고, 퇴근길 지하철 옆자리에선 시끄러운 음악 소리가 휴식을 방해했다. 하지만 남자는 아버지의 조언에 따라 거의 같은 하루를 다시 살아 보기로 한다. 이내 같은 상황이 닥쳐온다. 다른 점이라면 긴장과 걱정이 없이 하루를 시작했다는 것. 남자는 직장 상사의 잔소리를 동료와 함께 가벼운 농담으로 이겨냈다. 시간에 쫓기면서도 친절함을 베풀어주는 직원에게 같은 친절함을 베풀었고, 법정에서 승소했을 땐 마음껏 기쁨을 누렸으며 지하철 옆자리 사람의 시끄러운 음악 소리는 리듬을 타며 즐겼다. 그 결과 남자는 잠자리에 누워 이렇게 말한다. “좋은 하루였다.”

같은 하루를 보냈음에도 불구하고 스스로의 선택과 노력에 따라 하루의 질이 달라진다. 물론 영화처럼 하루를 다시 살아갈 수는 없겠지만 좀 더 삶에 여유를 가지고 주위를 바라보면 어떨까. 행복은 멀리 있는 것이 아닌 지금, 바로 옆에 있다는 것을 알 수 있지 않을까. 나는 내가 행복해지기 위해서 연기를 한다. 독자분들도 행복해지기 위해, 내가 원하는 미래를 그리기 위해 어떤 일에 열중하며 노력하고 있을 테다. 그래도 한번씩 나와 내 주위를 돌아보며 지금 내 삶에 너무 여유가 없지는 않은지, 쓸데없는 긴장과 걱정을 하고 있지는 않은지 점검해 보았으면 좋겠다. 이 말을 끝으로 글을 마친다. 지금까지 나의 글을 읽어 주셔서 대단히 감사하다. 당신의 빛나는, 그리고 빛날 앞으로의 삶을 응원한다!

기회가 된다면 몇 년 뒤의 미새로 찾아 뵙겠다.

미새 최오!

참고문헌

송낙원,박서연 “오디션 연기와 모놀로그: 한국영화 남녀독백 120 편”